PETIT TRAITÉ
DE
VERSIFICATION
FRANÇAISE

Maurice Grammont

PETIT TRAITÉ DE VERSIFICATION FRANÇAISE

ARMAND COLIN

1re édition, 14e tirage
© Armand Colin Editeur, Paris, 1965
ISBN 2-200-31050-1

Armand Colin Éditeur, 103, Bd Saint-Michel, 75240 Paris Cedex 05

Introduction

Origine et définition du vers français

La versification française est sortie de la versification latine populaire, tout comme la langue française est issue de la langue latine vulgaire.

Dans nos plus anciens poèmes français le vers peut se définir : *un élément linguistique comptant un nombre déterminé de syllabes, dont certaines sont obligatoirement accentuées et dont la dernière assone avec la syllabe correspondante d'un ou de plusieurs autres vers.* Si l'on remplaçait éventuellement dans cette définition le mot « assone » par le mot « rime », elle resterait une description extérieure assez exacte du vers français de toutes les époques, mais sans rendre compte de sa nature intime, qui s'est profondément modifiée au cours des siècles.

Les plus anciens vers français

Les premiers qui figurent dans nos plus anciens monuments littéraires sont le vers de 8 syllabes et celui de 10, puis celui de 12. Les autres formes de vers ne sont apparues que plus tard.

Dans tous les vers français la dernière syllabe qui compte est obligatoirement une syllabe accentuée. Le vers de 10 syllabes avait une autre syllabe obligatoirement accentuée ; c'était ordinairement la quatrième et quelquefois la sixième ; elle était suivie de la césure. Le vers de

12 syllabes avait aussi une autre syllabe accentuée à place fixe et suivie d'une césure, la sixième.

A aucune époque une syllabe inaccentuée à la fin d'un vers n'a trouvé place dans le compte des syllabes ; à l'époque ancienne une syllabe inaccentuée à la césure ne comptait pas davantage. Ainsi les deux vers suivants, que nous empruntons à la *Vie de saint Alexis* (xiᵉ siècle), ont le même nombre de syllabes :

A halte voiz | prist li pedre a crider[1].
Quant ot li pe|*dre* | ço que dit at la chartre[2].

De même ceux-ci qui appartiennent au *Voyage de Charlemagne en Orient* (xiiᵉ siècle) :

L'emperere le vit, | hastivement li dist[3].
Et prenget une cu|*ve* | que seit grande et parfonde[4].

Le vers de 8 syllabes n'a pas de césure, car il n'y a aucune place à l'intérieur de ce vers où une syllabe inaccentuée ne compte pas. Il n'a pas non plus à l'intérieur de syllabe accentuée à place fixe ; la quatrième est généralement accentuée :

Fist lo por *Dieu,* nel fist por lui[5].

Mais ce n'est nullement nécessaire ; elle peut être inaccentuée à l'intérieur ou à la fin du mot :

Qui tel *exer*cite vedist[6].
Li perfi*des* tant fut crudels[7].

---

1. « Le père se mit à crier à haute voix. »
2. « Quand le père entend ce qu'a dit la lettre. »
3. « L'empereur le vit, il lui dit aussitôt. »
4. « Et qu'il prenne une cuve qui soit grande et profonde. »
5. « Il le fit pour Dieu, il ne le fit pas pour lui. »
6. « (Il n'y eut jamais personne) qui vit une pareille armée. »
7. « Le perfide fut si cruel. »

Enfin, si elle est suivie d'une finale inaccentuée, cette dernière compte dans le nombre des syllabes :

Por cui tels co*se* vient de ciel[1].

Ces quatre derniers exemples sont du Xe siècle *(Vie de saint Léger).*

---

1. « (Celui) pour qui pareille chose vient du ciel. »

Première partie

La structure matérielle
du vers français

Règles anciennes, règles classiques

I

Le compte des syllabes

En ancien français le compte des syllabes était rigoureusement conforme à la prononciation ; mais à mesure que la prononciation a changé, la question s'est compliquée de jour en jour pour aboutir aux plus incroyables contradictions. Tantôt, en effet, on a conservé la manière de compter originaire et traditionnelle, tantôt on s'est réglé d'après la prononciation contemporaine, tantôt enfin on a adopté une troisième manière de compter qui n'est justiciable que d'analogies fausses et d'erreurs.

1. L'*E* DIT MUET

Sa prononciation

En ancien français l'*e* dit muet n'était jamais réellement muet ; c'était déjà une voyelle débile, mais elle se prononçait toujours. Avec le temps elle a cessé de se faire entendre à certaines places dans la prononciation courante ; on dit : *je n' sais pas*, mais *j' n'en sais rien*, *un' fenêtre*, mais *la f' nêtre* ; tout dépend de sa position et de ce qui l'entoure. Or les règles des vers classiques, comme celles des vers anciens, supposent la prononciation de tous les *e* muets ; c'est donc fausser les vers construits suivant ces règles, qu'ils aient été écrits au xe siècle ou au xxe, que de les dire sans prononcer scrupuleusement tous les *e* qui comptent dans le nombre des syllabes. Cette faute, il est vrai, est souvent commise aujourd'hui, même dans nos premiers théâtres, où certains acteurs récitent les vers classiques comme si c'était de la prose contemporaine. On doit se garder de les prendre pour modèles, car ils détruisent par leur diction tout l'art que l'auteur a mis dans la forme de son œuvre.

L' « e » après voyelle

Tandis qu'en ancien français, sauf à la fin du vers et à la césure, tout *e* comptait pour une syllabe, aujourd'hui il ne compte plus jamais après une voyelle inaccentuée ; *tu joueras* ne fait que trois syllabes ; il en faisait quatre à l'origine. Cet usage moderne a commencé à s'établir au xive siècle.

Après une voyelle accentuée, comme dans *prie, pries, prient,* il ne compte pas davantage, mais le mot qui le possède n'est pas admis à l'intérieur d'un vers, sauf dans le cas où son *e* peut s'élider, et s'il est placé à la fin du vers il y constitue une rime féminine. En ancien français cet *e* ne soulevait aucune difficulté, puisqu'il comptait partout pour une syllabe, conformément à la prononciation. Mais du jour où il a cessé de se faire entendre, on s'est trouvé dans l'alternative embarrassante de le compter pour une syllabe, c'est-à-dire d'en exiger la prononciation dans le débit du vers, ou, d'autre part, de renoncer à l'emploi dans l'intérieur du vers de catégories tout entières de mots et de formes.

Imparfaits, conditionnels et subjonctifs

Dans certains cas l'orthographe s'est conformée à la nouvelle prononciation ; dès le xiiie siècle on rencontre des imparfaits et conditionnels en -*oi*, -*ois*, au lieu de -*oie*, -*oies*, plus tard -*ais* : *ge volroi*, au lieu de *je volroie* « je voudrais », *tu avois*, au lieu de *tu avoies* « tu avais », et le subjonctif *soi*, *sois*, au lieu de *soie*, *soies*. Une grande classe de formes pouvait par là retrouver place sans difficulté dans l'intérieur des vers. Les poètes ne tardèrent pas à y ajouter les troisièmes personnes du pluriel correspondantes : imparfaits et conditionnels en -*oient*, plus tard -*aient*, puis le subjonctif *soient* qui entraîne à sa suite l'autre subjonctif auxiliaire *aient*. Dans ces troisièmes personnes du pluriel on écrit généralement l'*e*, mais on ne le compte pas. C'est de la même manière que le mot *eau*, que l'on trouve déjà comme monosyllabe au XIIIᵉ siècle, a continué longtemps encore à s'écrire *eaue*.

Leur 3ᵉ personne du pluriel

L'emploi de ces diverses formes sans compter l'*e* pour une syllabe, qu'on l'écrivît ou non, se développa beaucoup au XVᵉ siècle ; mais l'autre manière de compter subsista parallèlement jusqu'au milieu du XVIᵉ siècle. Enfin, à l'époque classique, l'usage est bien établi de ne jamais compter l'*e* des imparfaits ou conditionnels en -*oient* et des subjonctifs, *soient*, *aient*, si bien que ces formes à la fin des vers font des rimes masculines. Plus tard, quand la finale des imparfaits et conditionnels est devenue -*aient*, la forme *soient* reste isolée ; elle ne peut rimer qu'avec des mots comme *voient*, *croient*, qui constituent une rime féminine ; sa finale redevient donc féminine à la fin du vers, encore chez V. Hugo, alors qu'elle est masculine, ou plutôt n'existe pas, à l'intérieur.

Les autres catégories de mots

Les autres mots qui avaient un *e* après la voyelle accentuée se sont montrés plus résistants. Musset, Hugo et d'autres après eux ont osé employer dans l'intérieur de

leurs vers *croient, voient, aies, fuient, rient* comme mono-syllabes :

> En second lieu nos mœurs qui se *croient* plus sévères.
>
> MUSSET.

> Se *voient* poussés à bout par sa guerre aux Rutules
>
> PONSARD.

> Avant que tu n'*aies* mis la main à ta massue.
>
> HUGO.

> Les mondes *fuient* pareils à des graines vannées.
>
> SULLY PRUDHOMME.

> *Rient* en dessous, mettant leurs masques de travers.
>
> BOUCHOR.

On ne saurait leur reprocher que d'avoir hésité à introduire cette réforme et de ne l'avoir pas généralisée. Ils avaient pourtant d'illustres devanciers dans Ronsard, Marot, Régnier, Baïf au XVIᵉ siècle, Malherbe, Corneille, La Fontaine, Molière au XVIIᵉ :

> Et la *livrée* du capitaine.
>
> MAROT, 8 syll.

> Toy qui levant ta *veue* trop haute.
>
> BAIF, 8 syll.

> *Lassée* d'un repos de douze ans.
>
> MALHERBE, 8 syll.

> *Mantoue*, tu ne vois point soupirer ta province.
>
> CORNEILLE.

> Bon ! jurer ! ce serment vous *lie*-t-il davantage ?
>
> LA FONTAINE.

> A la *queue* de nos chiens, moi seul avec Drécar.
>
> MOLIÈRE.

L' « e » après consonne

Enfin quand l'*e* vient après une consonne, soit dans l'intérieur, soit à la fin d'un mot, il paraît avoir été, dès la fin du XVᵉ siècle, muet ou sonore dans le parler ordinaire à peu près dans les mêmes conditions qu'aujourd'hui. On trouve parfois un reflet de cette prononciation chez les poètes du XVIᵉ siècle :

Tu te *travaille* en vain.

MARGUERITE DE NAVARRE.

Jupiter, s'il est vrai que tu *fusse'* amoureux.

DESPORTES.

Mais plus *ell'* nous veut plonger
Et plus *ell'* nous fait nager.

RONSARD.

Le XVIIᵉ siècle n'a pas toléré cette liberté, et, au XIXᵉ, si on laisse de côté les chansonniers qui sont à part, on ne la rencontre qu'exceptionnellement :

Que tu ne *puisse* encor sur ton levier terrible.

MUSSET.

Tu l'*emporte*, il est vrai ; mais lorsque tu m'abats.

LAMARTINE.

Pourtant certains poètes du dernier quart du XIXᵉ siècle se sont fait comme une règle de supprimer l'*e* muet. Malheureusement il n'y en a pas qui se soient en cela conformés exactement à l'état réel de la langue ; parfois ils ont supprimé des *e* qui se sont toujours prononcés et d'autres fois ils en comptent que l'on ne prononce pas.

2. DEUX VOYELLES EN CONTACT, DONT AUCUNE N'EST UN « E »

Les règles anciennes

En ancien français la question est très simple pour qui connaît l'histoire de la langue ; elle est inextricable pour qui l'ignore. On peut distinguer trois cas :

a. — Les deux voyelles françaises constituent une diphtongue qui représente une seule voyelle latine ou une voyelle et une consonne ; elles ne font qu'une syllabe. Tel est le mot *pied* dont la diphtongue *ie* sort du premier *e* de latin *pedem* ; tel est le mot *nuit* dont la diphtongue *ui* sort de l'*o* et du *c* de latin *noctem*.

β. — Les deux voyelles françaises représentent deux voyelles latines, qui étaient séparées en latin par une consonne, comme dans *lier* de latin *ligare*, ou y étaient déjà contiguës, comme dans *fusion* de *fusionem*. Dans l'une et l'autre condition elles constituent deux syllabes ; mais il est bon de remarquer que les mots de la première catégorie appartiennent à l'ancien fonds de la langue française, tandis que ceux de la seconde font partie d'une couche plus récente. Ce sont des mots calqués sur le latin classique, car le latin vulgaire ne connaissait plus d'*i* en contact avec une voyelle suivante ; il en avait fait une consonne, *y*, qui se prononçait comme l'*i* de notre mot *tien* et que l'on appelle *yod* ; le mot *fusionem* y était donc devenu *fusyonem*, qui a donné dans le français de la première heure *foison*.

γ. — Des deux voyelles françaises l'une est la finale d'un mot simple et l'autre l'initiale d'un suffixe qui s'est adjoint au radical pour en tirer un dérivé en français même. C'est le cas de *bleuet*, dérivé de *bleu* au moyen du suffixe diminutif *-et*. Ici encore les deux voyelles appartiennent à deux syllabes différentes.

La finale « -ions »

De fort bonne heure ce bel ordre étymologique fut quelque peu troublé par l'analogie. Ainsi l'ancien français avait au subjonctif une désinence de 1re personne du pluriel, en *-ions*, qui correspondait en dernière analyse à latin classique *-eamus*, *-iamus*, c'est-à-dire en latin vulgaire *-yamus* ; naturellement elle ne faisait qu'une syllabe : *a-ions* « ayons ». Il avait d'autre part pour désinence de la même personne à l'imparfait et au conditionnel une finale *-ions* correspondant à *-e(b)amus*, qui comptait pour deux syllabes en vertu de la règle β : *a-vi-ons*, en latin *habebamus*. L'unification se fit très tôt d'après le subjonctif. On n'eut plus dès lors de finale *-ions* dissyllabique que dans les substantifs abstraits, tirés par voie savante du latin classique : *nous pa-ssions*, mais *les pa-ssi-ons*.

Influence d'un groupe de consonnes

Mais un peu plus tard la prononciation changea : un *i* devant une voyelle devint *y*, sauf quand il était précédé de deux consonnes dont la seconde était *r* ou *l*. L'ancien *a-vi-ons*, qui était devenu *a-vions* comme on vient de le voir, se prononça alors *avyons* ; mais l'ancien *de-vri-ons*, qui était devenu *de-vrions*, se prononça de nouveau en trois syllabes avec un *i* voyelle : *de-vri-ons*. De même l'ancien *ou-vrier*, de latin *operarium*, se prononça *ou-vri-er* ; l'ancien dissyllabe *san-glier* devint trisyllabique : *san-gli-er*. Cette nouvelle manière de compter n'est une règle que depuis le commencement du XVIIe siècle. On la doit surtout à l'influence de Corneille. Nous lisons encore chez Rotrou :

Nous *souffrions* plus que lui par l'horreur de sa peine,

mais on y trouve déjà dans la même pièce *(Saint-Genest)* :

Voudri-ez-vous souffrir que dans cet accident.

L'état actuel

On voit par là quelles modifications considérables ont subies au cours des siècles la langue et l'usage des poètes. Aujourd'hui, sauf le cas de la règle de Corneille qui est strictement observée, l'anarchie est complète ; dans le même mot le même poète compte deux syllabes ou une seule selon qu'il a besoin d'une syllabe de plus ou de moins pour son vers :

De sa vue, *hier* encor, je faisais mon délice.

COPPÉE.

Or, ce fut *hi-er* soir, quand elle me parla.

ID.

Marqué du *fou-et* des Furies.

MUSSET.

J'oserais ramasser le *fouet* de la satire.

ID.

Sur la terre où tout jette un *miasme* empoisonneur.

HUGO.

Mêlé dans leur sépulcre au *mi-asme* insalubre.

ID.

L'*opi-um*, ciel liquide.

GAUTIER, 6 syll.

D'*opium* usé.

ID., 4 syll.

Hier monosyllabe et *fou-et* dissyllabe sont conformes à la prononciation du XIᵉ siècle ; *fouet* n'est que monosyllabe actuellement, mais pour *hier* les deux prononciations sont correctes. La règle générale demanderait que ce mot ne fût que monosyllabe, comme *pied* par exemple ; mais on dit *le pied*, *un pied*, tandis qu'*hier* est généralement isolé dans la phrase. Or on n'aime guère qu'un mot important soit trop exigu ; on cherche d'ordinaire à l'étoffer un peu, de crainte qu'il ne passe inaperçu. C'est pourquoi *hi-er* en deux syllabes est apparu de fort bonne heure même dans la langue courante et a subsisté jusqu'à présent à côté de la forme monosyllabique.

Réformes désirables

Hormis cet exemple, qui est dans des conditions spéciales, la plupart des mots n'ont qu'une seule prononciation. Il est déconcertant d'être obligé de les prononcer en vers tantôt d'une manière, tantôt d'une autre ; et il est particulièrement choquant de leur imposer parfois une prononciation que la langue n'a jamais connue ou dont elle a perdu le souvenir depuis sept à huit siècles. C'est cela surtout qui donne à notre poésie un caractère artificiel et l'éloïgne tous les jours davantage de la langue réelle. Il n'y a qu'un principe admissible pour le compte des syllabes : se conformer le plus possible à la prononciation de la langue vivante. La poésie de l'ancien français faisait ainsi ; la poésie d'aujourd'hui doit faire de même et tenir compte des changements qu'a subis la prononciation. Si les écoles poétiques du dernier quart de siècle, qui ont éprouvé avec tant de raison le besoin de rajeunir notre versification, l'avaient étroitement modelée sur la prononciation contemporaine, cette simple réforme les aurait peut-être menées au but qu'elles n'ont pas atteint.

II

La césure, les coupes, l'enjambement

Définition de la césure

Dans les plus anciens vers français, la césure est une *pause* dans l'intérieur du vers, venant à place fixe après une syllabe obligatoirement accentuée. Cette pause ne doit pas être purement artificielle ; la syntaxe doit la demander ou tout au moins la permettre. Elle divise le vers en deux parties, que l'on nomme *hémistiches*, mais qui n'ont pas nécessairement le même nombre de syllabes. Elle sépare ces deux parties comme la pause qui vient après le vers le sépare du suivant. Elle est généralement un peu plus faible que cette dernière, qui seule admet la reprise de la respiration ; néanmoins elle est assez forte à l'origine pour contenir, comme on l'a vu plus haut, p. 6, une syllabe féminine inaccentuée, qui se prononce, mais ne compte pas.

Affaiblissement de la pause

Mais cette pause intérieure s'affaiblit de très bonne heure, surtout dans les vers de dix syllabes. Dès le XIIe siècle on trouve des vers comme les suivants, dans lesquels la syntaxe ne permet pas de pause :

> por tant porrai perdre tote ma voie[1].
> LE CHATELAIN DE COUCY.

> En sa destre main tint chascuns s'espee nue[2].
> GARNIER DE PONT-SAINTE-MAXENCE.

C'est à la même époque, et précisément parce que les divisions du vers étaient devenues moins nettes, que l'on remplaça l'assonance par la rime.

Les destinées de la césure féminine

Malgré cette faiblesse de la pause, l'usage de la césure féminine persista jusqu'au milieu du XVIe siècle. C'est que la versification est peut-être de tous les domaines celui où les anciennes règles se maintiennent à l'état d'observances le plus longtemps après qu'elles ont perdu toute raison d'être. Il n'est pas besoin d'un long examen pour comprendre que, dans un vers comme celui-ci, qui est du XIIIe siècle, on aura beau essayer de faire violence à la syntaxe, elle ne permettra jamais une pause suffisante pour absorber la syllabe *me* :

> Si n'avez o|*me* | nesun, si com je croi[3].
> AIMERI DE NARBONNE.

---

1. « Par là je pourrai perdre tout mon voyage. »
2. « En sa main droite chacun tenait son épée nue. »
3. « Vous n'avez aucun homme, à ce que je crois. »

Aux xve et xvie siècles, souvent on ne sait plus à quelle place trouver une césure dans le vers de dix syllabes :

> La pluye nous a buez et lavez[1].
>
> VILLON.

et celle du vers de douze fait hurler la syntaxe :

> Hastive ores ne peut la mort siller mes yeux[2].
> GARNIER, *Cornélie.*

> Et qu'on ne fait sinon aux richesses la cour[3].
> ID., *Bradamante.*

> Mon chef blanchit dessous les neiges entassées[4].
> D'AUBIGNÉ.

La césure féminine devait sembler alors particulièrement choquante ; c'est pourquoi on l'abolit définitivement au milieu du xvie siècle.

Réaction contre la faiblesse de la césure

Mais quand la césure fut affaiblie à ce point, les vers un peu longs, comme celui de douze syllabes, ne se distinguaient plus guère de la prose que par la rime. Aussi Ronsard trouve que « les alexandrins sentent trop la prose très facile, sont trop énervés et flasques ». Il protesta donc, et la Pléiade avec lui, contre les césures qui n'étaient pas marquées par le sens ; mais eux-mêmes ne se conformèrent pas toujours à cette exigence. Malherbe, et après lui Boileau, en firent une règle absolue, à laquelle leurs contemporains avec eux s'astreignirent assez scrupuleusement.

Mais ces protestations et ces réglementations n'empê-

---

1. « La pluie nous a lessivés et lavés. »
2. « La mort ne peut maintenant fermer trop tôt mes yeux. »
3. « Et qu'on ne fait la cour qu'aux richesses. »
4. « Ma tête blanchit sous les neiges entassées. »

chèrent pas le changement fondamental qui s'était produit dans les vers français depuis quatre siècles. La césure des vers du xviiᵉ siècle n'est plus une pause, c'est une simple *coupe*.

Les accents et les coupes

Dans les anciens vers français les hémistiches de quatre syllabes avaient quelquefois et ceux de six syllabes presque toujours d'autres syllabes accentuées que la dernière ; mais leur accent était moins intense que celui des syllabes obligatoirement accentuées et elles n'étaient pas mises en relief par une pause venant après. A mesure que la pause de la césure diminua, l'accent de la syllabe précédente perdit sa force particulière, si bien que des accents placés dans l'intérieur des hémistiches purent être aussi intenses que celui-là, quelquefois même davantage. Ainsi dans le second des deux vers suivants, la quatrième syllabe est plus fortement accentuée que la sixième :

> Se feit impudemment eslever une image
> Entre les Roys ; aussi il a eu le loyer[1].
>
> GRÉVIN, César.

En somme, quand le xviᵉ siècle transmit sa versification au xviiᵉ, le vers de dix syllabes avait généralement trois syllabes nettement accentuées et celui de douze en avait quatre, comme dans cet exemple de d'Aubigné :

> Toi Seigneur, qui abats, qui blesses, qui guéris.

Le décasyllabe était par là divisé en trois tranches et l'alexandrin en quatre ; chaque tranche finissait avec une syllabe accentuée et était suivie d'une coupe. Par coupe, il faut entendre simplement l'endroit où une tranche

---

1. « Il se fit impudemment élever une statue au milieu des rois : aussi il a eu le salaire. »

finit et où une autre commence. La coupe qui termine le premier hémistiche et qui tient lieu de l'ancienne césure ne se distingue des autres que parce qu'elle est à place fixe, tandis que la place des autres est variable. N'importe quelle coupe peut permettre une très légère pause, mais il est rare qu'on en fasse une dans l'intérieur du vers, même à la coupe fixe, même quand la syntaxe s'y prêterait de bonne grâce. Il est évident qu'il n'y a pas la moindre pause au milieu du vers suivant de Boileau :

> Derrière elle faisoit dire Argumentabor.
>
> *Satire X.*

Il n'y en a pas davantage dans celui-ci de Racine :

> Mais il me faut tout perdre, et toujours par vos coups,
>
> *Andromaque.*

puisqu'on prononce *per/dr et,* avec le groupe *dr* appartenant à la même syllabe que *et.* Enfin il peut y en avoir une extrêmement légère dans cet autre :

> Veille auprès de Pyrrhus ; fais-lui garder sa foi.
>
> *Ibid.*

Mais, le plus souvent, même dans ce dernier cas, un débit correct n'en admettra aucune. Les coupes sont simplement marquées par le passage d'une accentuée à une inaccentuée, ou, en outre, quand le sens le demande, par un changement d'intonation. Tel est l'instrument dont le XVIIe siècle disposait au début ; on verra plus loin ce qu'il en a fait et ce qu'en ont fait les siècles suivants.

L'enjambement

En même temps que la pause de la césure s'affaiblissait, le repos de la fin du vers était observé avec moins de rigueur. Quelquefois la syntaxe franchissait ce dernier aussi hardiment que celui de la césure. Quand une proposition, commencée dans un vers, se termine dans le suivant sans le remplir tout entier, on dit qu'il y a *enjambement*, et la fin de proposition qui figure dans le second vers constitue le *rejet*. En ancien français, les pauses étant l'élément essentiel de la versification et devant par suite être très nettes, l'enjambement est exceptionnel. Lorsqu'on le rencontre, et c'est très rare dans les vers de dix et de douze syllabes, on doit le considérer en général comme une négligence. Parfois il semble que l'auteur l'a fait avec intention, comme dans l'exemple suivant, mais peut-être a-t-il été simplement servi par le hasard :

> Ma grand onor aveie retenude
> *Empor tei, filz,* | mais n'en aveies cure[1].
>
> Vie de Saint Alexis.

Dans les vers de huit syllabes l'enjambement a dès le début été plus fréquent que dans les vers plus longs ; employés en général dans des genres plus familiers, ils ont disposé d'une réglementation moins sévère. La difficulté de faire coïncider d'un bout à l'autre d'un poème la fin de chaque proposition avec celle d'un de ces petits vers, et peut-être aussi la monotonie qui en serait résultée, n'ont sans doute pas été étrangères à cette liberté.

Aux xve et xvie siècles, la versification s'émancipe des anciens usages, cherche une voie nouvelle et imite un peu à tort et à travers les versifications latine et grecque, bien qu'elles soient fondées sur de tout autres principes ; aussi à cette époque emploie-t-on l'enjambement dans tous les types de vers presque sans y prendre garde. Pourtant Ronsard et la Pléiade ne le firent d'ordinaire que d'une manière assez judicieuse ; mais Malherbe vint, puis Boileau, qui le proscrivirent absolument. Leurs contemporains ne se soumirent pas toujours à cette règle inflexible, et les modernes s'en affranchirent pour obtenir des effets, que l'on étudiera dans un autre chapitre, p. 109.

---

1. « *C'est pour toi, mon fils,* que j'avais conservé ma vaste seigneurie, mais tu n'en avais cure. »

III

L'élision et l'hiatus

Définitions

Quand un mot terminé par une voyelle précède immédiatement dans l'intérieur d'un vers un mot commençant
par une voyelle, il se produit soit une *élision*, soit un *hiatus*.
On dit qu'il y a élision lorsque la première des deux
voyelles est supprimée, tant dans la prononciation que
dans le compte des syllabes, et hiatus lorsqu'elles se
prononcent et comptent toutes deux

L'élision et l'orthographe

Ces deux phénomènes ne sont pas propres à la versification, mais se produisent de la même manière dans
la langue parlée. L'élision est même généralement notée
par une apostrophe dans l'orthographe usuelle lorsqu'il
s'agit de mots auxiliaires et très usités, article, pronom,
préposition, conjonction : *l'enfant, l'âme, j'arrive, il l'envoie,
jusqu'à, s'il.* En dehors de ces cas, où la voyelle élidée
est quelquefois un *a* ou un *i*, l'élision ne peut porter que
sur un *e* inaccentué final, mais elle est obligatoire ; toutes

les fois que cette voyelle est suivie d'un mot commençant par une voyelle ou une *h* dite muette, il y a élision :

Elle *tombe*, elle *crie, elle* est au sein des flots.

CHÉNIER.

Jugez de *quelle* horreur cette *joie* est suivie.

RACINE.

L'élision en ancien français

En ancien français l'élision se fait comme en français moderne et n'est pas moins obligatoire, sauf en ce qui concerne certains monosyllabes. L'article *le, la*, la négation *ne* de latin *non*, les pronoms *me, te, se, le, la* devant le verbe, etc., élident toujours leur voyelle ; mais l'élision est facultative pour les pronoms *me, te, se, le, la* après le verbe, la négation *ne* de latin *nec*, les pronoms *ce, que, je*, l'article masculin singulier, *li*, la conjonction *se* de latin *si*, l'adverbe *se* ou *si* de latin *sic* :

Qu'en dites vos ? *que* il vos semble ?

RUTEBEUF.

Ne sui-*je* en vostre baillie ?

ID.

Et *j*'ai toz mes bons jors passez.

ID.

Le pronom « le » après le verbe

Dans cet usage de l'ancien français il y a un point qui nous choque à cause des habitudes que nous a données la langue moderne, c'est l'élision du pronom *le* après le verbe :

Metez *l*'arrière et vos avant[1].

BARBAZAN et MÉON.

---

1. « Mettez-le derrière et vous devant. »

Cette élision était toute naturelle en ancien français puisque ce *le* y était enclitique et inaccentué ; l'accent était sur la syllabe *-tez*. Mais de fort bonne heure l'accent s'est déplacé ; il a quitté la syllabe *-tez* pour se porter sur le mot *le*. L'élision de ce dernier dans cette position est donc aujourd'hui chose monstrueuse. Quand des poètes du XIXᵉ siècle l'ont admise :

Coupe-*le* en quatre, et mets les morceaux dans la nappe.
MUSSET.

De recevoir le linge. — Eh, reçois-*le* en personne.
AUGIER.

ils ont ignoré que la première condition pour qu'une voyelle puisse être élidée est d'être inaccentuée, et qu'un *e*, lorsqu'il n'est pas proprement muet, lorsqu'il se prononce et surtout lorsqu'il est accentué, est l'équivalent de n'importe quelle autre voyelle. Il fallait compter l'*e* de *reçois-le en personne* comme on aurait compté l'*a* de *reçois-la en personne*, et ne pas se croire autorisé à violenter la langue par l'exemple d'un usage ancien dont on n'avait pas pénétré les raisons.

L'hiatus en ancien français

Quant à l'hiatus, il était en ancien français admis dans les vers avec la même liberté que dans la prose :

En cest voloir l'*a A*mor mis
Qui *a* la fenestre l'a pris[1].

Chevalier au lion.

*O e*le espoir n'*i o*vra *o*nques[2].

ID.

---

1. « Ce désir lui a été inspiré par l'Amour, qui l'a surpris à la fenêtre. »
2. « Ou peut-être n'y a-t-elle jamais travaillé. »

Celui corage qu'ele *a* *o*re
*E*spoir change*a* *e*le encore[1].

De ce qu*e* *i*l *l*i *a*voit dit[2].

Chevalier au lion.

ID.

Proscription de l'hiatus

Peu à peu, l'art devenant plus délicat, on fut choqué par certaines rencontres de voyelles « qui font les vers merveilleusement rudes en nostre langue », selon l'expression de Ronsard. Aussi les poètes de la Pléiade n'admirent-ils plus guère l'hiatus qu'entre des monosyllabes inaccentués, comme *tu, qui, y, et, ou,* et une voyelle initiale ; ou bien quand ils acceptèrent que la première des deux voyelles fût accentuée et finale d'un polysyllabe, ils la placèrent le plus souvent devant la césure, pensant avec raison qu'à cette place la coupe et éventuellement une légère pause pouvaient dans une certaine mesure adoucir l'hiatus :

Je n'ay jamais serv*i* | *au*tres maistres que rois.

RONSARD.

Mais les poètes du XVIe siècle n'arrivèrent pas à formuler une règle nette ; l'hésitation et la gêne persistèrent, jusqu'au jour où Malherbe, et après lui Boileau, proscrivirent totalement l'hiatus.

Restrictions

On se conforma à leur règle, mais elle n'était absolue qu'en apparence. On admit l'hiatus lorsque la première voyelle était une nasale :

Narcisse, c'en est fait : Nér*on* est amoureux.

RACINE, *Britannicus.*

---

1. « Les sentiments qu'elle éprouve maintenant peut-être changeront-ils. »
2. « De ce qu'il lui avait dit. »

Dans ce cas l'*n* se prononçait encore faiblement comme consonne après la voyelle nasale au début du xviie siècle ; mais les plus fidèles observateurs de la règle de Malherbe continuèrent à tolérer cet hiatus quand l'*n* eut totalement cessé de se prononcer.

On admit l'hiatus quand la première voyelle était suivie d'une consonne qui ne se prononçait pas, en excluant toutefois de cette tolérance le mot *et* :

> Rendre docile au frein un coursi*er in*dompté.
>
> <div align="right">RACINE, <i>Phèdre.</i></div>

On admit l'hiatus lorsque la seconde voyelle était précédée d'une *h* dite aspirée :

> Fair*e hon*te à ces rois que le travail étonne.
>
> BOILEAU.

Pourtant cette consonne ne se prononçait pas ; il n'y avait déjà à cette époque aucune différence de prononciation entre *la honte* et *la onzième*.

On admit l'hiatus quand la première voyelle était immédiatement suivie d'un *e* final inaccentué élidé sur la seconde, bien que, par le fait même de l'élision, les deux voyelles fussent directement en contact :

> Il y va de ma v*ie et* je ne puis rien dire.
>
> <div align="right">RACINE, <i>Bajazet.</i></div>

Toutes ces tolérances reposaient d'ailleurs sur un principe faux, à savoir que la consonne ou la voyelle qui figurait, dans l'orthographe, entre les deux voyelles faisant hiatus, supprimait ce dernier pour les yeux ; or l'hiatus est uniquement un fait de prononciation et la vue ni l'orthographe n'ont à y intervenir. La musique n'est pas faite pour les yeux, la poésie non plus.

On admit aussi, mais presque uniquement dans les

genres simples et familiers, les locutions toutes faites, comme *peu à peu, çà et là*, et les interjections répétées :

Le juge prétendoit qu'*à tort et à travers*.

LA FONTAINE, Fables.

Oh là ! oh ! descendez, que l'on ne vous le dise.

ID., ibid.

En criant : *Holà, ho ! un* siège promptement.

MOLIÈRE, Les Fâcheux.

L'hiatus chez les modernes

Au XIXe siècle, certains poètes, trouvant les observances du XVIIe relativement à l'hiatus trop sévères et incohérentes, en introduisirent quelques-uns dans leurs vers :

. . . . Comme toute la vie
Est dans tes moindres mots ! Ah ! folle que *tu es !*

MUSSET, Namouna.

Parce qu'il n'est plus rien de ce qu'il *a été*.

H. DE RÉGNIER.

Et je me suis meurtr*i* a*v*ec mes propres traits.

MORÉAS.

Ils ont eu parfaitement raison. Qu'y a-t-il de choquant encore aujourd'hui dans ce vers de Ronsard :

D'*où es-t*u, *où* vas-tu, d'où viens-t*u à* ceste heure ?

S'il est des hiatus désagréables, qu'on les évite, mais pourquoi ne pas accueillir les autres ? pourquoi les rejeter tous en bloc ? On s'accorde à trouver délicieuses certaines rencontres de voyelles dans l'intérieur des mots ; elles ne le sont pas moins entre deux mots différents. Le « folle que tu es » de Musset est aussi doux que « muet, remuait, etc. » :

> Dans son manteau semé d'abeilles d'or, *muet*,
> Couché sous cette voûte où rien ne *remuait*.
> <div align="right">HUGO, <i>L'Expiation.</i></div>

La règle

Mais la difficulté, dit-on, est de déterminer quels sont ceux qui sont agréables et ceux qui ne le sont pas. Rien n'est plus simple pourtant ; les seuls qui soient choquants sont ceux dans lesquels *la même voyelle* est répétée deux fois ;

> Don*a A*nna pleurait. — Ils auraient bien un an...
> <div align="right">GAUTIER, <i>Albertus.</i></div>

> L'Océan *en* créant Cypris voulut s'absoudre.
> <div align="right">HUGO, <i>Archiloque.</i></div>

> Chaumière où du foy*er é*tincelait la flamme.
> <div align="right">LAMARTINE, <i>Milly.</i></div>

> Et le soir, tout au fond de la vall*ée é*troite.
> <div align="right">HUGO, <i>Voix intérieures.</i></div>

Encore verra-t-on plus loin que même dans ce cas l'hiatus peut être utilisé en poésie pour produire un effet.

Toutes les fois que les deux voyelles sont différentes, l'hiatus peut être admis ; et plus elles sont différentes l'une de l'autre plus il est agréable et doux ; il se produit alors d'une voyelle à l'autre une modulation harmonieuse.

IV

La rime

L'assonance

Les vers de nos plus anciens poèmes n'ont pas de rimes, mais seulement des *assonances*. On dit que deux vers assonent entre eux quand leur dernière voyelle accentuée est la même voyelle. Cette condition est suffisante, mais strictement nécessaire ; que les phonèmes ou sons qui suivent ou précèdent immédiatement cette voyelle se ressemblent ou soient absolument différents dans les deux vers, peu importe ; que les deux voyelles en jeu soient écrites de la même manière ou non, il n'importe pas davantage : l'orthographe n'a rien à voir en cette question ; mais il est indispensable que ces voyelles se prononcent pareillement, qu'elles aient le même timbre ; ainsi un *o* ouvert ne saurait assoner avec un *o* fermé.

La laisse

En général ce n'est pas seulement à deux vers, mais à toute une série de vers, appelée *laisse*, que l'on donnait une même assonance, et les divisions en laisses corres-

33

pondaient à celles du développement. Voici le début d'une laisse composée de dix-huit vers qui assonent en *i*

> Rodlanz ferit en une piedre bise :
> Plus en abat que jo ne vos sai dire ;
> L'espede croist, ne froisset ne ne briset,
> Contre lo ciel a mont est ressortide.
> Quant veit li coms que ne la fraindrat mie,
> Molt dolcement la plainst a sei medisme :
> « E ! Durendal, com iés bele et saintisme ![1] »
>
> > *Chanson de Roland,* XIe siècle.

Apparition et définition de la rime

Dès le XIIe siècle, la versification devenant plus savante, cette ressemblance un peu vague à la fin des vers parut insuffisante, et l'on exigea *l'homophonie non seulement de la dernière voyelle accentuée, mais en même temps de tout ce qui suivait cette voyelle,* c'est-à-dire la RIME. On n'eut plus des laisses assonancées, mais des laisses rimées. Mais ce qu'on gagnait ainsi en précision, on le perdait en variété. Peu nombreuses étaient les rimes qui pouvaient fournir une laisse de quelque étendue et les mêmes séries de rimes revenaient avec une fréquence fastidieuse. Aussi bientôt après, dès le même XIIe siècle, le besoin de variété amena les poètes à changer de rime régulièrement tous les deux vers.

Les rimes masculines et les rimes féminines

Cette nouvelle observance n'était pas encore un moyen infaillible d'éviter la monotonie. A cette époque, où tous les *e* devenus muets depuis, se prononçaient encore nette-

---

1. « Roland frappe (de son épée) sur une roche bise ; il en abat plus que je ne saurais dire ; l'épée grince, mais ne s'ébrèche ni ne se brise, elle rebondit en haut contre le ciel. Quand le comte voit qu'il ne la brisera pas, il la plaint bien tendrement en se parlant à lui-même : « Ah ! Durendal, comme tu es belle et sainte ! »

ment, il y avait deux catégories de rimes bien distinctes pour l'oreille. Les unes se terminaient avec la syllabe même qui contenait la voyelle accentuée ; les autres avaient après cette syllabe une autre syllabe contenant un *e* inaccentué. Les premières sont appelées **rimes** *masculines* et les secondes rimes *féminines*, sur le modèle de la plupart des adjectifs et d'un grand nombre de substantifs, chez lesquels précisément le féminin se distingue du masculin par l'apparition d'une syllabe de plus contenant un *e* inaccentué : *petit, petite, chat, chatte.*

L'alternance

Or quand le hasard amenait à la suite l'une de l'autre toute une série de rimes masculines ou toute une série de rimes féminines, l'oreille éprouvait une impression d'uniformité désagréable parce que tous les vers finissaient sur une syllabe accentuée ou au contraire sur une syllabe inaccentuée. Pour y remédier certains poètes eurent l'idée dès la fin du xve siècle, de faire alterner régulièrement les rimes féminines avec les rimes masculines ; puis, au xvie siècle, Ronsard érigea ce procédé en règle pour toute la poésie moins les poèmes lyriques en strophes ; enfin Malherbe en fit une règle absolue pour toute notre versification[1]. De cette manière on obtint la variété continuelle des rimes à coup sûr et mécaniquement.

---

1. On a vu plus haut, dans le chapitre sur le *compte des syllabes*, p. 13, que les formes *aient, soient* des verbes *avoir, être* et les finales *aient* des imparfaits et des conditionnels ne comptent que pour une syllabe dans l'intérieur des vers. Il en est de même à la fin des vers et elles constituent des rimes masculines :

> Ils marchaient à côté l'un de l'autre ; des danses
> Troublaient le bois joyeux ; ils marchaient, s'arrêt*aient*,
> Parlaient, s'interrompaient, et, pendant les silences,
> Leurs bouches se taisaient, leurs âmes chuchot*aient*.
>
> HUGO, *Contemplations.*

Cette règle d'alternance, qui est à vrai dire la plus importante des règles classiques concernant la rime, a été observée jusqu'à nos jours. On vient de voir par quelles étapes successives elle a été obtenue, et qu'elle avait pour but d'éviter la monotonie et d'atteindre la variété, qui est par elle seule un charme.

Proscription des rimes banales

C'est le même besoin de variété qui a fait naître les autres règles classiques relatives à la rime, en particulier la proscription des rimes trop faciles ou trop banales. Ainsi on blâme la rime d'un mot simple avec son composé : *ordre* et *désordre, voir* et *prévoir,* de deux composés contenant le même simple : *bonheur* et *malheur, conduire* et *introduire,* car ce serait faire rimer un mot avec lui-même. On ne l'admet qu'au cas où les deux mots se distinguent par une signification dont la différence est bien marquée : *pas* et *point* particules négatives riment bien avec *pas* et *point* substantifs, *front* avec *affront, prix* avec *mépris.* On n'aime pas les rimes de deux mots qui expriment des idées tout à fait analogues ou exactement opposées, comme *douleur* et *malheur, chrétien* et *païen ;* ce sont des rimes trop faciles et qui reviendraient trop souvent : la composition poétique condamne la négligence et la vulgarité. Les mots qui s'appellent presque forcément, comme *gloire* et *victoire, guerriers* et *lauriers* constituent des rimes banales.

Les mots d'une même catégorie grammaticale

On tolère la rime de *beauté* avec *bonté, trouvée* avec *lavée, délibérer* avec *pleurer, trouva* avec *cultiva, puni* avec *fini, perdu* avec *vendu, éclatant* avec *important,* parce que la rime de ces mots contient une consonne avant la voyelle accentuée ; mais on préfère de beaucoup faire rimer *bonté* avec *persécuté, trouvée* avec *corvée, trouva* avec *il va, puni* avec *un nid, abattu* avec *vertu.* C'est dire que l'on évite d'accoupler des mots appartenant à un même type de formation ou à une même catégorie grammaticale. Lorsque de pareils mots n'ont rien pour rimer avant la voyelle accentuée, on les rejette absolument : *aimé* ne rime pas avec *porté,* ni *chanter* avec *pleurer,* ni *chercha* avec *donna,* ni *puni* avec *parti,* ni *vendu* avec *résolu.* C'est qu'alors une autre considération entre en jeu : de pareilles rimes ne sont à proprement parler que des assonances. Dans les poèmes assonancés la rime apparaissait déjà parfois, mais sans être cherchée ; les deux derniers vers du passage de la *Chanson de Roland* cité plus haut en fournissent un exemple. Quand pour obtenir la rime on exigea, outre l'homophonie de la voyelle accentuée, celle de tout ce qui suivait cette voyelle, il n'y eut pas de différence entre la rime et l'assonance dans le cas où la voyelle accentuée finissait le mot. On accueillit donc dans les ouvrages rimés une importante catégorie d'assonances ; mais on remarqua bien vite qu'elles fournissaient des ressources trop faciles à la médiocrité et n'offraient pas à l'oreille une ampleur de son comparable à celle des autres rimes. On évita ce danger : 1° par les prohibitions qui viennent d'être énumérées, 2° par la recherche de la rime riche.

L'assonance dans les poèmes rimés

Grâce à ces prohibitions, l'assonance ne fut plus guère acceptée comme rime qu'entre des mots appartenant à des types grammaticaux différents et surtout quand l'un des deux était un monosyllabe. En outre les poètes soigneux de leurs rimes ne les admirent que dans des vers rimant deux à deux :

> Une triste pensée. . . . .
>   Glace ta grandeur taciturne ;
> Telle en plein jour parfois, sous un soleil de *feu,*
> La lune, astre des morts, blanche au fond d'un ciel bl*eu,*
>   Montre à demi son front nocturne.
>   Hugo, *Les Orientales,* XXXVIII.

Les combinaisons de la rime

Quand les rimes se succèdent ainsi deux à deux on les appelle rimes *plates* ou *suivies*; quand les vers masculins alternent avec les féminins, elles sont dites *croisées* :

> Sur la pente des monts les brises apaisées
> Inclinent au sommeil les arbres onduleux ;
> L'oiseau silencieux s'endort dans les rosées
> Et l'étoile a doré l'écume des flots bleus.
>
> LECONTE DE LISLE.

Quand deux vers à rimes plates sont entourés par deux vers rimant entre eux, les rimes sont dites *embrassées* :

> Déplorable Sion, qu'as-tu fait de ta gloire ?
> Tout l'univers admiroit ta splendeur,
> Tu n'es plus que poussière ; et de cette grandeur
> Il ne nous reste plus que la triste mémoire.
>
> RACINE, *Esther*.

Enfin on nomme les rimes *redoublées* quand la même est répétée plus de deux fois, et *mêlées* ou *libres* quand les diverses combinaisons précédentes sont réunies.

La rime riche

Lorsque les rimes ne se suivent pas deux à deux, elles ont besoin d'une sonorité plus pleine, d'une netteté plus frappante que lorsqu'elles sont plates ; il ne faut pas que la rime énoncée soit assez vague pour qu'on l'ait oubliée quand vient celle qui lui répond. On le remarqua de bonne heure, d'où la recherche des rimes riches et des rimes rares. On appelle rimes *riches* celles qui présentent l'homophonie d'un élément de plus que ceux qui sont indispensables aux rimes *suffisantes*. Ainsi *banni* et *fini* ne riment pas richement puisque l'*n* est le seul élément qui les empêche de simplement assoner ; mais *bannir* et *finir*, *parti* et *sorti*, riment richement puisque la rime était suffisante sans l'*n* des deux premiers exemples et sans l'*r* des deux suivants.

Utilité de la rime

La rime est indispensable à nos vers parce que c'est elle qui en marque la fin. La structure intérieure de l'alexandrin n'est pas soumise à des règles assez fixes, les éléments rythmiques peuvent être constitués de manières trop variées pour que des vers sans rimes, ou vers *blancs*, ne se confondent pas bien vite avec de la prose un peu régulière. C'est ce qui explique que les tentatives faites à diverses reprises pour installer en France les vers blancs, aient toujours échoué. Quant aux vers libres, ils ne sont des vers qu'à condition d'être rimés ; sans rimes il est impossible de reconnaître leur forme et de savoir à quel endroit l'on passe d'un vers à un autre ; sans rimes ils ne sont des vers que sur le papier et pour les yeux. Or les vers sont essentiellement faits pour être entendus : leurs coupes, leur rythme, leur musique, leur rime, tout ce qui les constitue est fait en vue de l'oreille. Lire des vers seulement des yeux est un contre-sens. La rime avertit l'oreille qu'un groupe rythmique est complet et qu'un autre va venir ; tant que la seconde rime n'a pas été entendue, l'esprit est dans l'attente ; dès qu'elle a sonné à l'oreille, il se repose dans le sentiment de satisfaction qui naît de toute combinaison harmonieuse reconnue parfaite.

La rime et l'orthographe

N'étant faite que pour l'oreille, la rime n'a pas à tenir compte de l'orthographe, et des rimes comme les suivantes sont irréprochables :

Cet homme en mon esprit restait comme un pro*dige,*
Et, parlant à mon père : O mon père, lui *dis-je...*
Hugo, Feuilles d'automne.

> Pourquoi Manon Lescaut, dès la première sc*è*ne,
> Est-elle si vivante et si vraiment hum*ai*ne ?
>
> MUSSET, Namouna.

Mais toute rime dont la voyelle accentuée n'a pas les deux fois le même timbre est blâmable et même, à proprement parler, fausse puisqu'elle n'est pas même une assonance :

> Terre de la patrie, ô sol trois fois sac*ré*,
> Parlez tous ! Soyez tous témoins que je dis v*rai*.
>
> LECONTE DE LISLE, Les Erinnyes.

> Lorsqu'il eut bien fait voir l'héritier de ses tr*ô*nes
> Aux vieilles nations comme aux vieilles cou*ronnes*.
>
> HUGO, Napoléon II.

La rime est mauvaise aussi quand elle est constituée par deux mots terminés par une consonne qui se prononce dans l'un et pas dans l'autre :

> Le reste existait-il ? — Le grand-père mou*rut*,
> Quand Sem dit à Rachel, quand Booz dit à *Ruth*.
>
> HUGO, Petit Paul.

Les rimes de ce genre sont en contradiction avec la définition même de la rime ; aussi les blâme-t-on universellement, malgré l'exemple de nos grands poètes, même quand l'orthographe est exactement la même dans les deux mots, comme dans *Brutus* et *vertus*.

Emploi de la rime riche

C'est parce que les rimes sont faites pour l'oreille qu'elles ont besoin d'être d'autant plus riches qu'elles sont plus éloignées l'une de l'autre. Dans les rimes plates la richesse devient vite fatigante. Nos grands poètes l'ont parfaitement compris. On n'en saurait dire autant de ceux qui, au xvie siècle et de nouveau au xixe, se sont imaginé que la richesse des rimes pouvait suppléer à la pauvreté des idées. La rime riche ne doit jamais être recherchée pour elle-même, mais seulement quand le sens ou la distance exigent une netteté particulière. La rime trop riche a l'air d'un jeu de mots et doit toujours être évitée dans les genres sérieux.

V

Les différents types
de vers français et leur emploi

1. LES PARISYLLABIQUES

Les vers de dix syllabes

Ceux qui sont cités dans les chapitres précédents ont
une césure après la quatrième syllabe ; plus rarement on
les a césurés après la sixième :

> Trestoute la plus be|le que quesirés[1].
>
> *Aiol.*

Dans un cas comme dans l'autre ils ont généralement
un accent important dans l'intérieur de l'hémistiche long ;
par conséquent lorsque les césures sont devenues de
simples coupes, ils ont deux coupes, une fixe et l'autre
mobile.

Quelquefois, en ancien français et plus fréquemment
de nos jours, on les a coupés après la cinquième syllabe,

---

1. « La toute plus belle que vous désirerez. »

sans autre coupe ; on a obtenu ainsi un vers particulière-ment rapide et léger, mais ne convenant guère qu'à des pièces courtes :

J'ai dit à mon cœur, | à mon faible cœur :
N'est-ce point assez | de tant de tristesse ?
Et ne vois-tu pas | que changer sans cesse,
C'est à chaque pas | trouver la douleur ?

MUSSET, *Chanson*.

Le décasyllabe était en ancien français le vers de l'épopée. Aux xive et xve siècles il est le *vers commun*, c'est-à-dire le plus usité dans presque tous les genres ; très employé encore au xvie siècle, il perd beaucoup de terrain au xviie, remplacé presque partout par l'alexandrin, et le xixe siècle ne s'en sert plus qu'exceptionnellement.

Le vers de huit syllabes

Le vers de huit syllabes n'a pas de césure en ancien français, mais il a toujours au moins une syllabe forte-ment accentuée dans l'intérieur. En français moderne il a une coupe libre, quelquefois deux :

O dieux ! | ô bergers ! | ô rocailles !
Vieux Saty|res, Termes grognons ;
Vieux petits ifs | en rang d'oignons,
O bassins, | quincon|ces, charmilles !

MUSSET, *Sur trois marches de marbre rose*.

Aussi usité en ancien français que le vers de dix syllabes, l'octosyllabe a moins perdu de nos jours que son concur-rent. Vers de la poésie narrative, didactique, dramatique au Moyen Age, il devient essentiellement le vers lyrique au xvie siècle, le vers de l'ode, et garde cette fonction aux xviie, xviiie et xixe siècles, sans cesser pour cela de servir toujours pour la poésie légère.

Le vers de douze syllabes

Postérieur aux vers de huit et de dix syllabes, celui de douze paraît être issu du décasyllabe par égalisation des deux hémistiches. Anciennement il a une césure après la sixième syllabe ; à l'époque classique il a généralement trois coupes, dont une fixe à la place de l'ancienne césure et les deux autres libres dans l'intérieur de chaque hémistiche. Un autre type, qui a été fort peu employé, mais qui apparaît de très bonne heure, a deux coupes fixes, l'une après la quatrième syllabe et l'autre après la huitième, sans en avoir après la sixième. Il ne faut pas confondre avec celui-là le vers romantique, dont les deux coupes tombent fréquemment après la quatrième et la huitième syllabes, mais en restant *libres* d'occuper d'autres places. Après la sixième syllabe le vers romantique n'a pas de coupe, mais une simple séparation de mots :

Mon bien-aimé, | mon bien-aimé, | mon bien-aimé !
HUGO, Fin de Satan.

L'or des cheveux, | l'azur des yeux, | la fleur des chairs.
VERLAINE, Poèmes saturniens

A la très belle, | à la très bonne, | à la très chère.
BAUDELAIRE.

Les poètes postérieurs aux romantiques renoncent à cette séparation de mots :

Empanaché | d'indépendance | et de franchise.
ROSTAND, Cyrano.

Enfin on a fait quelquefois des dodécasyllabes qui ont trois coupes sans en avoir après la sixième syllabe :

Des rochers nus, | des bois affreux, | l'ennui, | l'espace.
HUGO, L'Expiation.

Aux XIIe et XIIIe siècles le vers de douze syllabes supplante en partie ses deux aînés, en particulier dans les poèmes épiques et didactiques ; c'est au XIIe siècle qu'appartient le poème d'Alexandre auquel il doit son nom d'*alexandrin*. Du milieu du XIVe siècle au milieu du XVIe il n'est plus à la mode ; on le délaisse presque totalement. Ronsard et la Pléiade le remettent en honneur, et, au XVIIe siècle, il devient le vers français par excellence ; il apparaît dans tous les genres. Sa fortune n'a pas diminué depuis cette époque.

Les vers de six et de quatre syllabes

Les vers de six et de quatre syllabes n'ont guère été employés seuls ; le premier l'a pourtant été quelquefois, surtout dans des chansons. Ils n'ont jamais eu de césure ni l'un ni l'autre, mais le vers de six syllabes a d'ordinaire une coupe libre.

2. LES IMPARISYLLABIQUES

Le vers de neuf syllabes

Il apparaît dès le Moyen Age mélangé avec d'autres dans la poésie lyrique. Quelques poètes du XVIe siècle et du XIXe l'ont employé seul dans de courtes pièces ; mais il a toujours été très peu usité.

On l'a coupé de manières très diverses, mais le plus souvent il se présente avec deux coupes, la première fixe après la troisième syllabe, et la seconde libre, comme dans ces deux vers d'une chanson attribuée à Malherbe.

L'air est plein | d'une halei|ne de roses :
Tous les vents | tiennent leurs bou|ches closes.

Rythmé comme le premier de ces deux vers il a une

allure berçante dont certains modernes se sont parfois servis avec bonheur. Rythmé autrement, c'est un vers assez médiocre.

Le vers de sept syllabes

Les vers de sept et de cinq syllabes sont essentiellement des vers boiteux ; ils sont généralement coupés en 4 + 3 ou 3 + 4 et en 3 + 2 ou 2 + 3. Le premier est particulièrement rapide et le contraste de ses deux mesures sans cesse inégales lui donne une allure sautillante et saccadée, qui convient parfaitement à certaines poésies légères, surtout à celles dont le ton est badin ou ironique. On le trouve déjà au XIIe siècle, même en dehors de la poésie lyrique, mais ce n'est qu'à la Pléiade qu'il a dû sa fortune.

Les vers de cinq et de trois

Boiteux comme lui, le vers de cinq syllabes n'est ni sautillant ni saccadé, parce qu'il est lent. Quand il n'a pas de coupe, il n'est plus boîteux ; le vers de trois syllabes ne l'est pas non plus. Ces deux vers sont le plus souvent employés avec d'autres plus longs.

Deuxième partie

L'art dans la versification française

Le rythme, les sons

VI

L'alexandrin classique

Définition du rythme

Le rythme est constitué dans toute versification par *le retour à intervalles sensiblement égaux des temps marqués ou accents rythmiques.*

L'alexandrin devient un vers rythmique

Avant l'époque classique, l'alexandrin n'avait pas à proprement parler de rythme. C'était un vers *syllabique*, composé de deux membres ou hémistiches. A l'origine ces deux membres étaient nettement séparés l'un de l'autre par une pause ou césure. Mais quand la césure, par des affaiblissements successifs, fut devenue, comme on l'a vu p. 22, une simple coupe, il put y avoir dans le vers d'autres coupes aussi nettes que celle-là et d'autres accents d'intensité aussi forts ou même quelquefois plus forts que celui de la sixième syllabe.

Avant Corneille, personne, à part peut-être Régnier ne se souciait de la place des accents d'intensité dans l'intérieur des hémistiches. Mais quand la coupe de l'hémistiche ne se distingua plus des autres que parce qu'elle était fixe, les bons poètes sentirent l'importance des accents situés à l'intérieur des hémistiches et n'abandonnèrent plus leur place au hasard. Si bien que petit à petit, sans que personne s'en rendît exactement compte et tout en restant un vers à deux hémistiches, l'alexandrin classique devint un vers à quatre mesures, c'est-à-dire contenant quatre éléments rythmiques, terminés chacun par un accent d'intensité ; le deuxième et le quatrième accents sont fixes sur la sixième et la douzième syllabes, et les deux autres sont variables dans l'intérieur d'un même hémistiche.

Où finissent les mesures

Les mesures se terminent toutes avec la syllabe accentuée, et quand un mot possède après sa syllabe accentuée une syllabe inaccentuée, cette dernière appartient à la mesure suivante :

Je ne vous pre|sse point, | Mada|me, de nous suivre ;
En de plus chè|res mains | ma retrai|te vous livre.
>   RACINE, *Iphigénie.*

Quand la syllabe inaccentuée est à la fin du vers elle est en dehors de toute mesure, comme l'était avant le XVIe siècle la syllabe inaccentuée qui apparaissait parfois à la fin du premier hémistiche. Une mesure peut donc finir dans l'intérieur d'un mot ; mais on ne doit jamais pour cela, dans la lecture, s'arrêter au milieu du mot.

Telle est la structure de notre alexandrin dans les chefs-d'œuvre de nos grands poètes classiques, c'est-à-dire à partir du premier tiers du XVIIe siècle.

Les éléments de l'alexandrin

Il y a donc dans le vers classique certains éléments fixes et immuables, certains éléments susceptibles de variété. La coupe qui sépare les deux hémistiches ne peut pas être déplacée : elle tombe obligatoirement après les six premières syllabes et coupe le vers en deux parties égales comme nombre de syllabes et comme durée. La durée de chaque hémistiche est la moitié de la durée totale. Chaque demi-vers est aussi divisé en deux parties ou mesures, se terminant chacune sous un temps marqué ou accent rythmique. Il est trop évident que si chacune des quatre mesures a trois syllabes, sa durée est approximativement égale au quart du temps total ; mais le nombre des syllabes de chaque mesure peut varier de 1 à 5.

Les exigences du rythme et le débit des vers

Or le rythme est produit par le retour à intervalles égaux des quatre temps marqués, et, si l'un des intervalles était plus court ou plus long que les autres, le rythme serait détruit.

Les exigences du rythme obligent donc à ralentir le débit des mesures qui ont moins de trois syllabes et à accélérer celui des mesures qui en ont plus de trois.

Ces changements de vitesse ne sont pas tels que les mesures deviennent mathématiquement égales, car les vers ne se récitent pas au métronome. Mais ils sont suffisants pour être sensibles, et pour que les temps marqués paraissent à l'oreille tomber à intervalles égaux.

Utilisation des changements de vitesse

Puisque ces ralentissements ou ces accélérations sont sensibles, il est évident qu'ils sont propres à être utilisés pour produire certains *effets* ; ils peuvent avoir un emploi artistique.

Les vers à allure égale

Le vers coupé en quatre tranches égales, exigeant avec sa belle régularité un débit absolument uniforme, n'offre rien de saillant et reste parfaitement inexpressif :

> Un destin | plus heureux | vous conduit | en Épire
>   RACINE, *Andromaque.*

> Où Cologne | et Strasbourg, | Notre-Dame | et Saint-Pierre.
>   MUSSET, *Rolla.*

Tout au plus, s'il est question d'un mouvement, l'allure égale de ce vers contribue-t-elle à peindre la régularité de ce mouvement :

> Quatre bœufs attelés, d'un pas tranquille et lent,
> Promenoient | dans Paris | le monarque | indolent.
>   BOILEAU, *Le Lutrin.*

Les mesures lentes exprimant un mouvement lent

Mais dès qu'une mesure lente apparaît à côté d'une mesure rapide, il en résulte un contraste. Les bons poètes et les habiles versificateurs n'ont guère manqué d'en tirer parti.

Une mesure lente est naturellement propre à exprimer un mouvement lent ou prolongé :

> Alors elle se couche, et ses grands yeux s'éteignent,
> Et le pâle désert | *rou*|le sur son enfant
> Les flots silencieux de son linceul mouvant.
>   MUSSET, *Rolla.*

> Et le char vaporeux de la reine des ombres
> *Mon*|te, et blanchit déjà les bords de l'horizon.
>   LAMARTINE, *L'Isolement.*

Les mesures rapides exprimant un mouvement rapide

Une mesure rapide convient bien à l'expression d'un mouvement rapide :

> A travers les rochers la peur | *les précipite.*
>   RACINE, *Phèdre.*

> Il ouvre un large bec, | *laisse tomber* | sa proie.
>   LA FONTAINE, *Fables,* I, 2.

Mon ai|*le me soulève* | au souffle du printemps.
Le vent | *va m'emporter ;* | je vais | *quitter la terre.*

MUSSET, Nuit de Mai.

Ces exemples suffisent pour faire comprendre ce genre d'effet ; ils montrent aussi qu'à côté de la mesure mise en relief il y a généralement dans le même hémistiche une mesure sacrifiée. Tout ne peut pas être en relief dans un vers, et rien ne l'est que par contraste ; c'est l'art de celui qui fait les vers et de celui qui les lit d'utiliser les ressources de la versification pour faire valoir les idées qui le demandent et qui s'y prêtent.

Les mesures lentes servant à insister sur un mot

Tous les vers ne sont pas descriptifs et l'on n'a pas seulement des mouvements à peindre. La lenteur ou la rapidité des éléments rythmiques sont employées à des usages variés. Chacun sait que, dans la conversation ordinaire, lorsqu'on veut insister sur un mot, le mettre particulièrement en relief, on le détache du reste de la phrase soit par une intonation spéciale ou une accentuation plus forte, soit par une prononciation plus lente. En poésie une mesure lente produit un effet analogue pour faire ressortir un mot essentiel, celui qui résume une tirade ou une idée :

Fier de votre valeur, | *tout,* | si je vous en crois,
Doit marcher, doit fléchir, doit trembler sous vos lois.

RACINE, Iphigénie.

Et comptez-vous pour rien | *Dieu* | qui combat pour nous ?
Dieu | qui de l'orphelin protège l'innocence ?

ID., Athalie.

Mais vous qui me parlez d'une voix menaçante,
Oubliez-vous ici | *qui* | vous interrogez ?

ID., Iphigénie.

Dans un si grand revers que vous reste-t-il ? | — *Moi.*

CORNEILLE, Médée.

Veu|ve du jeune Crasse, *et veu*|ve de Pompée,
Fi|lle de Scipion, et, pour dire encor plus,
Romai|ne, mon courage est encore au-dessus.

ID., Pompée.

Votre fille me plut, je prétendis lui plaire.
Elle est de mes serments | *seu*|le dépositaire.

RACINE, Iphigénie.

Jéhu, le fier Jéhu, | *trem*|ble dans Samarie.

ID., Athalie.

Jéhu est le dernier ennemi qu'Athalie a eu à combattre ;
c'était peut-être le plus redoutable, et en montrant que
maintenant *il tremble*, elle résume toutes ses victoires
et fait comprendre par ce seul mot toute l'étendue de sa
puissance.

VII

Le vers romantique

Définition du vers romantique

On appelle *vers romantique* un vers de douze syllabes, employé surtout par Victor Hugo et depuis lui, qui n'a pas d'accent rythmique sur la sixième syllabe. Ce vers n'a généralement que trois accents rythmiques et par conséquent trois mesures au lieu de quatre. Aussi l'appelle-t-on volontiers *trimètre*, alors que l'on nomme *tétramètre* l'alexandrin classique.

Origine du vers romantique

Le vers romantique n'est pas né au XIXe siècle, mais remonte directement au XVIe. L'alexandrin de la Pléiade avait de très grandes libertés, et sa césure en particulier était souvent très faible. Il eut une double postérité au XVIIe siècle : le vers de la tragédie et celui de la comédie. Le premier fut réglementé par Malherbe, puis par Boileau, qui lui imposèrent une coupure syntaxique à la fin de chaque hémistiche ; le second échappa aux arrêts des législateurs. Ce dernier resta confiné dans la comédie et dans les genres dits secondaires ; il fut le vers de Molière et de La Fontaine, tandis que le vers noble était employé par Corneille et Racine.

Son emploi par les romantiques

Quand les romantiques firent leur drame par l'union de la tragédie et de la comédie, par la fusion en un seul des deux genres que le XVIIe siècle avait nettement distingués, le mélange qu'ils opérèrent pour le fond ils le réalisèrent en même temps pour la forme. Comme le comique apparut dans leurs œuvres en antithèse avec le tragique, le vers de la comédie vint dans leur versification faire contraste avec celui de la tragédie.

Le trimètre romantique n'a pas remplacé le vers classique ; il s'est glissé dans ses rangs pour y produire des contrastes. C'est essentiellement un vers à effet.

Sa caractéristique

Ayant d'une part le même nombre de syllabes que le tétramètre et d'autre part une mesure de moins, il est forcément plus rapide que le vers classique.

Pourquoi il produit un effet

L'introduction d'un trimètre dans une série de tétramètres constitue un changement de mètre. Tout changement de mètre, produisant un contraste, frappe et éveille l'attention, qui se porte aussitôt sur ce mètre nouveau, c'est-à-dire sur les idées qu'il exprime. D'autre part ce changement de mètre consiste en la substitution d'un mètre plus rapide à un mètre plus lent.

Classification des vers romantiques d'après l'effet produit

Tels sont les deux éléments, accroissement de vitesse et éveil de l'attention, qui permettent de comprendre tous les effets produits par l'introduction du rythme romantique dans le rythme classique.

1ʳᵉ catégorie : expression d'un mouvement rapide

De même que dans l'intérieur d'un vers l'emploi d'une mesure plus rapide est propre à exprimer la rapidité, de même l'arrivée d'un vers plus rapide et l'augmentation de vitesse qu'il apporte correspond bien à la représentation d'un mouvement rapide, physique ou moral :

> De moment en moment le sort est moins obscur.
> Et l'on sent bien | qu'on est emporté | vers l'azur.
>
> Hugo, Contemplations.

> Enfin, dans l'air brûlant et qu'il embrase encor,
> Sous le pistil géant qui s'érige, il éclate,
> Et l'étami|ne lance au loin | le pollen d'or.
>
> Heredia.

> Leur bouche, d'un seul cri, dit : Vive l'empereur !
> Puis, à pas lents, | musique en tê|te, sans fureur,
> Tranquille, souriant à la mitraille anglaise,
> La garde impériale entra dans la fournaise.
>
> Hugo, L'Expiation.

Le mouvement de la garde est peint par le trimètre. C'est un mouvement lent et non un mouvement rapide ; mais il n'y a pas là de contradiction avec les principes. L'arrivée d'un trimètre après un tétramètre constitue une accélération, et par conséquent est propre à exprimer une augmentation de vitesse, c'est-à-dire le passage d'un mouvement lent à un mouvement plus rapide ou bien, comme ici, le passage de l'immobilité à un mouvement lent, à un mouvement quelconque. Un trimètre succédant à un tétramètre peint un changement par contraste ; c'est pourquoi, dans ce dernier exemple, le mouvement n'est pas exprimé par le vers qui contient le mot « entra », mais par celui qui nous montre que la garde s'ébranle, se met en marche ; au moment où elle entre dans la fournaise, elle ne fait que continuer son mouvement, elle ne le commence pas.

Le mouvement peut être en outre purement imaginaire ou moral ;

> Hélas ! vers le passé tournant un œil d'envie,
> Sans que rien ici-bas puisse m'en consoler,
> Je regarde toujours ce moment de ma vie
> Où je l'ai vue | ouvrir son aile | et s'envoler.
>
> Hugo, Contemplations.

> Et des vents inconnus viennent me caresser,
> Et je voudrais | saisir le monde | et l'embrasser.
>
> Leconte de Lisle, Glaucé.

2e catégorie : énumération synthétique à trois termes

Toute augmentation de vitesse détermine une présentation plus rapide des idées et des images. D'autre part, le temps pendant lequel nous pouvons considérer chaque élément d'idée ou chaque idée composante est devenu proportionnellement plus court. Une accélération nous fait donc sentir, par le resserrement des sons, le groupement plus étroit des idées ou des faits. Aussi le trimètre est-il particulièrement propre à contenir une énumération à trois termes qui envisage une question sous toutes ses faces, en épuise les aspects ; grâce au rapprochement synthétique dû à l'accélération, il fait de ces trois termes un tout, une unité qui résume la question :

> Et quel plaisir de voir, sans masque ni lisières,
> A travers le chaos de nos folles misères,
> Courir en souriant tes beaux vers ingénus,
> Tantôt légers, | tantôt boiteux, | toujours pieds nus !
>
> Musset, Sur la Paresse.

> Faisait sortir l'essaim des êtres fabuleux
> Tantôt des bois, | tantôt des mers, | tantôt des nues.
>
> Hugo, Le Sacre de la Femme.

Oui, je vais te tuer, monseigneur, vois-tu bien ?
Comme un infâme ! | comme un lâche ! | comme un chien !

HUGO, *Ruy Blas.*

Pas de lendemain, | pas d'aujourd'hui, | pas d'hier.

ID., *Dieu.*

3e catégorie : mise en relief de l'idée exprimée

Comme l'arrivée d'un trimètre après une série de tétramètres surprend l'esprit par le contraste qui en résulte, éveille l'attention et l'oblige à s'appliquer sur ce trimètre même, il est tout naturel que le trimètre contienne l'idée la plus importante d'une tirade, celle qui la résume, qui la conclut, l'idée la plus grandiose ou la plus inattendue, le fait ou l'image qui produit une antithèse avec ce qui précède, en un mot l'idée destinée à frapper l'esprit du lecteur ou de l'auditeur :

Une fraternité vénérable germait ;
L'astre était sans orgueil et le vers sans envie ;
On s'adorait | d'un bout à l'au|tre de la vie.

ID., *Le Sacre de la Femme.*

Et viennent opposer au passage d'un crime
Le Christ immense | ouvrant ses bras | au genre humain.

ID., *L'Aigle du Casque.*

Dans cet exemple l'idée contenue dans le trimètre est grandiose et en même temps fait contraste avec la précédente.

Il vit à quelques pas du seuil d'une chaumière,
Gisant à terre, | un porc féti|de qu'un boucher
Venait de saigner vif. . . . .

ID., *Sultan Mourad.*

Ici le trimètre renferme le nœud du sujet ; il présente

en même temps l'antithèse la plus frappante que l'on puisse opposer à Mourad, le sultan triomphant :

> Ayant levé la tête au fond des cieux funèbres,
> Il vit un œil | tout grand ouvert | dans les ténèbres,
> Et qui le regardait dans l'ombre fixement.
>
> Hugo, La Conscience.

C'est le sujet même de la pièce qui est énoncé dans le trimètre.

VIII

A quoi reconnaît-on un trimètre ?

Tétramètres à césure faible et trimètres

Il n'y a rien qui ressemble à un trimètre comme un tétramètre à césure faible : dans l'un comme dans l'autre le mot qui contient la septième syllabe est étroitement uni par la syntaxe à celui qui précède. Le trimètre n'a pas d'accent rythmique sur la sixième syllabe, tandis que le tétramètre en possède un à cette place ; mais les poètes se sont gardés, avec grand'raison, de noter le rythme de leurs vers. Il n'y a donc aucun indice matériel qui permette de distinguer entre ces deux types.

Trimètres de Racine

Lorsque Racine écrivit une comédie, *Les Plaideurs*, il adopta pour cette circonstance la versification de la comédie qui était plus souple, plus libre et se rapprochait davantage de la prose. Elle comportait le trimètre, comme on l'a rappelé plus haut, et sa pièce en renferme plusieurs :

Et je faisois | claquer mon fouet | tout comme un autre.
C'est dommage : | il avoit le cœur | trop au métier.

Faux trimètres de Racine

Mais, dans ses tragédies, il n'y a pas un seul trimètre. Ceux qu'on a cru y découvrir ne résistent pas à un examen attentif. Pourtant il en est plusieurs qui semblent au premier abord fournir un moyen d'expression analogue à ceux que présentent les trimètres de V. Hugo, c'est-à-dire qu'ils contiennent une des idées les plus importantes de la scène où ils se trouvent :

Et Mardochée | est-il aussi | de ce festin ?

Esther.

Roi sans gloir|e j'irois vieillir | dans ma famille.

Iphigénie.

Ce qu'il y a de particulier dans ces vers

Il est certain que Racine coupait ces prétendus trimètres après la sixième syllabe ; c'étaient donc des tétramètres. Ils ont une coupe faible à l'hémistiche, tandis que les ternaires n'en ont pas du tout ; ils ont pour but et pour effet de faire ressortir un seul mot, tandis que le changement de rythme met les ternaires en relief d'un bout à l'autre. Lorsque Aman dit :

Et Mardochée | est-il | *aussi* | de ce festin ?

c'est seulement le mot « aussi » sur lequel il appuie et qui exprime toute son inquiétude. Quand Agamemnon dit à Arcas :

De quel front immolant tout l'État à ma fille,
Roi sans gloi|re, j'irois | *vieillir* | dans ma famille !

c'est sur le mot « vieillir » qu'il insiste et qu'il fait porter tout le poids de son mépris.

Le même type chez les autres poètes du XVIIe siècle

Les vers de ce genre, construits de manière à faire particulièrement ressortir les mots contenus dans la mesure qui suit la coupe de l'hémistiche, ne sont pas spéciaux à Racine. On les trouve également chez les autres poètes de son temps :

Et près de vous ce sont | *des sots* | que tous les hommes.
MOLIÈRE, Tartuffe.

Vous ? Mon Dieu ! mêlez-vous | *de boi*|re, je vous prie.
BOILEAU, Satire III.

Et tous font éclater un si puissant courroux,
Qu'ils semblent tous venger | *un pè*|re comme vous.
CORNEILLE, Cinna.

Naturellement ils abondent chez V. Hugo :

Virent que le Satan | *de pie*|rre souriait.
Ratbert.

Mais faites donc valoir le vice radical
De l'affaire. — Ils n'ont pas | *le droit.* | — Plaidez la cause.
Cromwell.

Paroles de Jenkins à Richard Cromwell qui veut empêcher le meurtre de son père. Tout le caractère de Jenkins, « le magistrat intègre », est dans ce mot « le droit ».

Le relief considérable de ces mots qui commencent le second hémistiche est dû particulièrement à ce que la coupe qui les sépare du mot précédent avec lequel ils sont unis grammaticalement oblige à les prononcer avec un changement d'intonation qui attire l'attention sur eux.

Une catégorie spéciale de tétramètres à césure faible

Parmi ces tétramètres à césure faible, c'est surtout ceux dans lesquels le premier hémistiche se termine par un mot insignifiant, que l'on pourrait être tenté de lire en trimètres. Dans cette catégorie il y a lieu de signaler à part ceux dont le second hémistiche commence par une mesure monosyllabique :

> Seigneur, je ne rends point | *com*|pte de mes desseins.
>
> RACINE, *Iphigénie.*

> Toi, mon maître ? — Oui, coquin, m'oses-tu méconnoître ?
> — Je n'en reconnois point | *d'au*|tre qu'Amphitryon.
>
> MOLIÈRE, *Amphitryon.*

> Une reine n'est pas | *rei*|ne sans la beauté.
>
> HUGO, *Eviradnus.*

> Je ne vois rien en vous qui soit à dédaigner
> Et vous estime enfin | *trop* | — pour vous épargner.
>
> ID., *Cromwell.*

L'accentuation de la prose et le rythme des vers

Dans aucun des vers de ce genre il n'y aurait d'accent d'intensité sur la sixième syllabe, si c'était de la prose. Ainsi, en prose, dans cette phrase : « elle n'est pas reine », il n'y a pas d'accent sur le mot « pas », pas plus qu'il n'y en a sur les syllabes *-vec*, *-près*, *-vant*, dans « avec lui, après eux, devant toi ». Mais il y en a un sur le mot « pas » dans ce vers :

> Une reine n'est *pas* reine sans la beauté,

et de même sur la sixième syllabe de tous les autres V. Hugo s'est toujours violemment élevé contre ceux de ses prétendus imitateurs qui faisaient des vers sans accent à cette place.

Mais comment les vers peuvent-ils avoir des accents là où la prose n'en a pas ? Parce que ce sont des vers c'est-à-dire parce qu'ils ont un rythme qui n'est pas celui de la prose. C'est le rythme, et le rythme seulement, qui peut appeler un accent sur une syllabe où la prose n'en admet pas. Il en résulte que ces syllabes ont non seulement un accent d'intensité, mais aussi un accent rythmique, et par conséquent que les vers qui les contiennent ne sont pas des trimètres.

Quelle est la valeur spéciale de ces vers ? Quel genre d'effet produisent-ils ? A peu près le même que les autres tétramètres à césure faible ; mais, de plus, comme la voix donne un accent à un mot qui en prose n'en aurait pas, à un mot souvent dépourvu de toute importance, elle attire l'attention d'une manière extraordinaire sur le mot ou le groupe de mots qui suit :

Une reine n'est pas | REINE sans la beauté !
> HUGO, *Eviradnus.*

Et la lumière était | FAITE DE VÉRITÉ.
> ID., *Le Sacre de la Femme.*

C'était pour rire. — Ils t'ont | FAIT BIEN PEUR, je parie.
> ID., *Le Roi s'amuse.*

Les vrais trimètres

Il reste donc pour les vrais trimètres, parmi les vers où la sixième syllabe est étroitement unie par le sens à la septième, avant tout ceux dans lesquels il y a une énumération à trois termes parallèles :

Ne plus penser, | ne plus aimer, | ne plus haïr.
> TH. GAUTIER, *Thébaïde.*

Ce type est largement représenté chez V. Hugo. On en trouve déjà des exemples au XVIIe siècle dans les genres secondaires :

Maudit château ! maudit amour ! maudit voyage !
> LA FONTAINE, *Ragotin.*

et même dans les dernières pièces de Corneille, dont le vers a toujours évolué :

Toujours aimer, toujours souffrir, toujours mourir.
> *Suréna.*

Détermination délicate

Les deux autres types de trimètres qui ont été distingués dans le dernier chapitre sont beaucoup moins usités ; il est souvent fort délicat de les reconnaître. Parfois V. Hugo a pris la précaution d'annoncer un trimètre par un contre-rejet qui termine le vers précédent, surtout à la fin des périodes :

> Je jure de garder ce souvenir, *et d'être*
> Doux au fai|ble, loyal au bon, | terrible au traître.
> *Le petit Roi de Galice.*

> Ayant reçu de Dieu des créneaux où le soir
> L'homme peut, d'embrasure en embrasure, *voir*
> Étinceler | le fer de lan|ce des étoiles.
> *Le Régiment du Baron Madruce.*

Mais, en définitive, leur forme ne se distingue en rien de celle des tétramètres à césure faible, et l'on ne peut se décider que d'après le fond. Il faut, pour chaque cas, examiner de très près le texte et le contexte, voir quel est le genre d'effet qui s'adapte le mieux à l'idée exprimée, et si le poète a voulu mettre en relief un mot, une expression, ou le vers tout entier :

> A Toulon, le fourgon les quitte, le ponton
> Les prend ; sans vêtements, sans pain, sous le bâton...
> *Les Châtiments.*

Les deux propositions « le fourgon les quitte » et « le ponton les prend » sont rigoureusement parallèles ; dans la seconde « les prend » est un rejet du premier vers, donc dans la première « les quitte » est un rejet du premier hémistiche et le premier de ces deux vers n'est pas un trimètre.

> Mais en tout cas qu'il fût tout ce qu'il pouvait être,
> C'était un garnement de dieu fort mal famé.
> *Le Satyre.*

Ce dernier vers est une conclusion et nous savons qu'un trimètre conviendrait parfaitement ; mais l'expression « un garnement de dieu » en une seule mesure serait vulgaire et passerait inaperçue. Le tétramètre la détaille et, grâce à la faiblesse de la césure, met parfaitement en relief tout ce qu'il y a de pittoresque et de hardi dans cette alliance de mots.

> D'autres, d'un vol plus bas croisant leurs noirs réseaux,
> Frôlaient le front baisé par les lèvres d'Omphale.
> Quand, ajustant au nerf la flèche triomphale,
> L'archer superbe fit un pas dans les roseaux.
> HEREDIA, Stymphale.

La lecture du dernier vers en tétramètre ferait tellement ressortir « un pas » qu'il semblerait que le poète a voulu insister sur ce fait que l'archer n'a pas fait *deux* pas, ce qui fausserait le sens. Il faut donc lire en trimètre :

> L'archer super|be fit un pas | dans les roseaux.

Hésitations possibles

Parfois l'hésitation est permise et les deux lectures sont à la rigueur possibles :

> Un crapaud | regardait le ciel, bête éblouie.
> HUGO, Le Crapaud.

C'est une idée surprenante, la forme du trimètre lui sied fort bien. Mais celle du tétramètre :

> Un crapaud | regardait | *le ciel,* | bête éblouie

n'ôte rien à l'inattendu de l'idée et annonce beaucoup mieux le sujet de la pièce par le relief qu'elle donne aux mots « le ciel » ; le ciel c'est la pureté, lui c'est l'être immonde, le ciel c'est l'espérance, lui c'est le paria, le ciel c'est la charité, lui c'est le réprouvé qui va être en butte à la haine.

D'autres fois le vers à trois membres syntaxiques parallèles peut être lu en six mesures (voyez, p. 69, les hexamètres). Ceci n'a lieu que lorsqu'il est utile d'*analyser* chacun de ces trois membres et de mettre en relief et à part chacun des deux mots ou groupes de mots qu'ils contiennent :

Dormez, | vertus, | dormez, | souffran|ces, dormez, | crimes.
> Hugo, *Le Pape*.

Il faut | qu'il marche ! | Il faut | qu'il roule ! | Il faut | qu'il aille !
> Id., *Cromwell*.

Un dernier exemple aidera à saisir cette nuance délicate :

Avoir du combattant l'éternelle attitude,
Vivre casqué, | suer l'été, | geler l'hiver.
> Id., *Le petit Roi de Galice*.

C'est un trimètre, à n'en pas douter (de notre 2ᵉ catégorie, p. 58), parce que chaque membre syntaxique contient une idée simple, forme un bloc, et que les trois se réunissent pour constituer une synthèse. Mais si l'auteur avait cru devoir mettre par exemple : *suer l'hiver*, *geler l'été*, les deux parties de chaque membre syntaxique seraient dissociées par l'inattendu du rapprochement, et le vers aurait six mesures.

IX

Les poèmes en vers libres

Pentamètres et hexamètres

Les vers de douze syllabes peuvent être rythmés non seulement en tétramètres ou en trimètres, mais encore en pentamètres et même en hexamètres. Tandis que le trimètre est plus rapide et rythmiquement plus court que le tétramètre, ceux-ci sont plus lents et plus longs. Le trimètre rapproche les idées et les images en une sorte de synthèse, le pentamètre et l'hexamètre les espacent et les analysent :

> Beauté, | gloi|re, vertu, | je trouve tout | en elle.
> RACINE, *Bérénice.*

> Celui qu'en bégayant nous appelons Esprit,
> Bonté, | Force, | Équité, | Perfection, | Sagesse,
> Regar|de devant lui, | toujours, | sans fin, | sans cesse.
> HUGO, *Sultan Mourad.*

Les hexamètres sont plus rares, mais apparaissent pourtant aussi dès l'époque classique, même dans la tragédie :

> Roi, | prê|tres, peuple, | allons, | pleins | de reconnoissance.
> RACINE, *Athalie.*

Fuyards, | blessés, | mourants, | caissons, | brancards, | civières,
On s'écrasait aux ponts pour passer les rivières.

HUGO, *L'Expiation.*

Différentes espèces de vers libres

Quand un poème en dodécasyllabes contient çà et là des vers rythmés autrement qu'en tétramètres, on peut dire qu'il est en *vers libres* en se plaçant au point de vue du rythme. Quand ses rimes, au lieu d'être plates d'un bout à l'autre, comme dans la tragédie, sont tantôt plates, tantôt croisées, embrassées ou répétées, on peut dire qu'il est en *vers libres*, en se plaçant au point de vue de la rime. Mais on réserve généralement le nom de *poèmes en vers libres* à ceux qui joignent à l'emploi éventuel de ces deux libertés celle d'entremêler des vers n'ayant pas le même nombre de syllabes. Ces derniers poèmes sont appelés aussi poèmes à *mouvements variés*, parce que les différents mètres qu'ils juxtaposent leur donnent des mouvements tantôt accélérés, tantôt ralentis, que n'ont pas au même degré les autres poèmes.

Difficultés du vers libre

Ce mélange d'unités métriques inégales et diverses ne doit pas être affaire de hasard ni de caprice ; le poète peut à son gré entremêler les rythmes et les mètres, croiser, redoubler, espacer les rimes ; mais le tout doit être déterminé strictement par les nuances de l'idée qu'il exprime ; si bien que cette liberté périlleuse, loin de faciliter son œuvre, y accumule les difficultés. Lorsqu'il réussit à les surmonter toutes, c'est-à-dire à mouler exactement la forme sur le fond, il atteint par là toute la perfection dont son art est susceptible.

Vitesse relative des différents mètres

Les chapitres précédents ont fait connaître les effets de contraste que l'on suscite par des changements de vitesse et des changements de rythme ; lorsqu'on entremêle des mètres divers on dispose de moyens plus variés et plus complexes, mais les effets que l'on obtient sont analogues. Il peut y avoir à la fois changement de mètre et changement de vitesse, ou bien changement de mètre sans changement de vitesse. Quand un vers de huit syllabes à deux mesures suit un vers de douze syllabes à quatre mesures, il y a exactement la même accélération que lorsqu'un vers romantique (douze syllabes et trois mesures) vient après un vers classique (douze syllabes et quatre mesures). Si le vers de douze syllabes est un trimètre et le vers de huit un dimètre il n'y a pas changement de vitesse, mais seulement changement de mètre ; il en est de même lorsqu'un dimètre de six syllabes suit un tétramètre de douze. La vitesse ne dépend pas du nombre des syllabes, mais du rapport qui existe entre ce nombre et celui des mesures. Les petits vers passent pour être plus légers et plus vifs que les grands ; ce n'est vrai que lorsqu'ils sont plus rapides.

Expression de la rapidité par un mètre rapide

Un vers plus rapide venant après un vers plus lent exprime l'idée de rapidité et celles qui s'y rattachent :

La tempête s'éloigne et les vents sont calmés.
La forêt qui frémit, pleure sur la bruyère ;
Le phalène doré, dans sa course légère,
    Traverse les prés | embaumés.

MUSSET, *Le Saule*.

Grâce à l'emploi du vers de huit syllabes, le poète obtient une mesure à cinq syllabes, qui peint admirablement la rapidité et la légèreté de la course du phalène, sans être obligé pour cela de ralentir les mesures avoisinantes.

Dans l'exemple suivant le petit vers rend sensible la rapidité du changement :

> Et lui-même ayant fait grand fracas, chère lie,
> Mis beaucoup en plaisirs, en bâtiments beaucoup,
> Il devint pau|vre tout d'un coup.
>
> LA FONTAINE, *Fables*, VII, 14.

Des vers rapides sont propres aussi à exprimer rapidement, par contraste avec ceux qui précèdent ou qui suivent,
une chose sur laquelle on ne veut pas insister. La Fontaine
en a souvent tiré parti pour introduire ses personnages
et entrer en matière le plus vivement possible :

> Un octogénaire plantoit.
>
> ID., XI, 8.

> Une grenouille vit un bœuf
> Qui lui sembla de belle taille.
>
> ID., I, 3.

D'autres fois il les utilise pour conclure brusquement sa
fable, lorsqu'il en a exposé tous les événements et n'a
plus rien à nous dire :

> Et pleurés du vieillard, il grava sur leur marbre
> Ce que je viens de raconter.
>
> ID., XI, 8.

> Vous n'en approchez point. La chétive pécore
> S'enfla si bien qu'elle creva.
>
> ID., I, 3.

Mise en relief par les petits vers

Mais le plus souvent dans ce cas, et c'est déjà sensible
dans le dernier exemple, la vitesse sert surtout, comme on
l'a vu à propos du trimètre, à rapprocher les idées en
une sorte de synthèse qui convient parfaitement à une
conclusion. Les vers de la fin, au lieu d'être en quelque
sorte effacés, ont alors un relief particulier, qu'ils doivent
au double changement de vitesse et de mètre :

> La faim le prit : il fut tout heureux et tout aise
> De rencontrer un limaçon.
>
> LA FONTAINE, *Fables*, VII, 4.

La conclusion n'est pas obligatoirement celle de la fable ;
elle peut être celle d'une période, d'un développement :

> Enfin, quoique ignorante à vingt et trois carats,
>   Elle passoit pour un oracle.
>
>   ID., VII, 15.

> Tes coups n'ont point en moi fait de métamorphose ;
> Et tout le changement que je trouve à la chose,
>   C'est d'être Sosie battu.
>
>   MOLIÈRE, *Amphitryon.*

Les petits vers dans les strophes

C'est pour des raisons analogues que lorsqu'une strophe
se termine par un petit vers, il doit contenir l'idée essentielle de la strophe, celle qui résume tout ce qui précède,
ou fait antithèse avec lui :

> O lacs ! rochers muets ! grottes ! forêt obscure !
> Vous que le temps épargne ou qu'il peut rajeunir,
> Gardez de cette nuit, gardez, belle nature,
>   Au moins le souvenir.
>
>   LAMARTINE, *Le Lac.*

> Le sérail !... Cette nuit il tressaillait de joie.
> Au son des gais tambours, sur des tapis de soie,
> Les sultanes dansaient sous son lambris sacré,
> Et, tel qu'un roi couvert de ses joyaux de fête,
> Superbe, il se montrait aux enfants du prophète,
>   De six mille têtes paré !
>
>   HUGO, *Les Têtes du Séra*

Ce n'est pas parce qu'il est le dernier vers d'une strophe
ou d'un développement que le petit vers est en relief,
mais parce qu'il constitue un changement de mètre. Il
peut donc y avoir plusieurs petits vers dans une strophe
ou un développement et ils peuvent y être à n'importe
quelle place. Il en résultera toujours un contraste et un
éveil de l'attention, et il ne faut pas que ce soit sans raison ;
le changement de mètre doit être justifié par le sens :

> Je dis que le tombeau qui sur les morts se ferme,
> Ouvre le firmament,
> Et que ce qu'ici-bas nous prenons pour le terme
> Est le commencement.
>
> ID., *Contemplations*.

Maintien du même mètre dans une pièce en vers libres

Par conséquent si tous les éléments d'un développement ou d'une énumération ont la même valeur, il faut conserver le même mètre. Tels sont, dans le passage suivant, les six vers qui développent l'idée contenue dans le premier :

> Ne reconnoît-on pas en cela les humains ?
> Dispersés par quelque orage,
> A peine ils touchent le port
> Qu'ils vont hasarder encor
> Même vent, même naufrage :
> Vrais lapins, on les revoit
> Sous les mains de la Fortune.
>
> LA FONTAINE, *Fables*, XI, 15.

Changement continuel de mètres

Si l'on veut au contraire mettre en relief tous les détails d'un développement, tous les traits d'une énumération, on changera de mètre à chaque fois, passant tantôt d'un grand vers à un petit, tantôt d'un petit à un grand. Ainsi, dans le morceau qui suit, Mercure voulant persuader à Sosie que c'est lui qui est Sosie, met en relief chacun des faits qui sont ses arguments en changeant de mètre pour chacun d'eux :

> C'est moi qui suis Sosie enfin, de certitude,
> Fils de Dave, honnête berger ;
> Frère d'Arpage, mort en pays étranger ;
> Mari de Cléanthis la prude
> Dont l'humeur me fait enrager ;
> Qui dans Thèbe ai reçu mille coups d'étrivière,
> Sans en avoir jamais dit rien ;
> Et jadis, en public, fus marqué par derrière,
> Pour être trop homme de bien.
>
> MOLIÈRE, *Amphitryon*.

Les iambes

Voilà pourquoi les pièces en iambes ont une telle intensité de force ; le mètre changeant à chaque vers, tout y est mis en relief. C'est en même temps ce qui fait la difficulté du genre : il faut que chaque vers contienne une idée ou au moins une nuance d'idée nouvelle :

> C'était une cavale indomptable et rebelle
> Sans frein d'acier ni rênes d'or ;
> Une jument sauvage à la croupe rustique,
> Fumante encor du sang des rois,
> Mais fière, et d'un pied fort heurtant le sol antique,
> Libre pour la première fois.
> Jamais aucune main n'avait passé sur elle
> Pour la flétrir et l'outrager ;
> Jamais ses larges flancs n'avaient porté la selle
> Et le harnais de l'étranger ;
> Tout son poil était vierge, et, belle vagabonde,
> L'œil haut, la croupe en mouvement,
> Sur ses jarrets dressés, elle effrayait le monde
> Du bruit de son hennissement.
>
> BARBIER, *L'Idole.*

La vigueur, l'impression puissante de l'iambe n'est pas due seulement à ce que le mètre change continuellement, mais en même temps à ce que les deux vers qui alternent sont d'une part le plus lent et d'autre part le plus rapide des mètres ordinaires de la versification française. Le petit vers est souvent le plus saillant des deux parce que sa rapidité présente plus vivement l'idée qu'il contient et que fréquemment la phrase se termine avec lui ; mais en principe il y a un effet produit par le passage du petit vers au grand comme par celui du grand au petit.

Valeur propre des grands vers

Lorsqu'un grand vers vient après un plus petit il y a en général ralentissement. Or un ralentissement, comme on l'a vu plus haut, produit un écartement analytique des idées, qui permet d'en considérer un à un les détails.

L'effet qu'un grand vers produit alors par sa nature même
est le contraire de celui qui résulte de l'emploi d'un petit
vers : avec sa lenteur et son ampleur, qui l'ont fait choisir
pour le genre épique, l'alexandrin convient à l'expression
d'une idée grave, noble ou grandiose :

> Le moindre vent qui d'aventure
> Fait rider la face de l'eau
> Vous oblige à baisser la tête ;
> Cependant que mon front au Caucase pareil,
> Non content d'arrêter les rayons du soleil,
> Brave l'effort de la tempête.
>
> La Fontaine, *Fables*, I, 22.

Dans ce passage les deux alexandrins introduisent un
style pompeux destiné à peindre l'orgueil du chêne ;
quant à l'octosyllabe qui vient après il met en relief l'idée
importante qui s'oppose à la faiblesse du roseau et prépare
le dénouement. On trouve le même ton orgueilleux dans
les alexandrins du morceau suivant :

> Et de me laisser à pied, moi,
> Comme un messager de village ;
> Moi qui suis, comme on sait, en terre et dans les cieux,
> Le fameux messager du souverain des dieux.
>
> Molière, *Amphitryon*.

Mise en relief par les grands vers

Quand l'effet n'est produit que par le changement de
mètre, c'est un simple effet de contraste aboutissant à la
mise en relief de l'idée contenue dans le mètre nouveau :

> Deux compagnons pressés d'argent,
> A leur voisin fourreur vendirent
> La peau d'un ours encor vivant,
> Mais qu'ils tueroient bientôt, du moins à ce qu'ils dirent.
>
> La Fontaine, *Fables*, V, 20.

> Laissez-moi carpe devenir :
> Je serai par vous repêchée ;
> Quelque gros partisan m'achètera bien cher.
>
> Id., V, 3.

Expression d'un changement

Puisqu'un changement de mètre produit un changement d'impression, il est tout naturellement propre à traduire un contraste qui existe dans les idées :

La jeunesse se flatte et croit tout obtenir ;
    La vieillesse est impitoyable.

Iᴅ., XII, 5.

Chose étrange ! on apprend la tempérance aux chiens,
    Et l'on ne peut l'apprendre aux hommes !

Lᴀ Fᴏɴᴛᴀɪɴᴇ, *Fables*, VIII, 7.

Dans la description suivante il y a changement de mètre lorsqu'on passe de la personne à son vêtement :

Sous un sourcil épais il avoit l'œil caché,
Le regard de travers, nez tortu, grosse lèvre,
    Portoit sayon de poil de chèvre,
    Et ceinture de joncs marins.

Iᴅ., XI, 7.

Ailleurs les changements de mètre marquent l'entrée en scène de nouveaux personnages ou correspondent aux diverses phases du développement :

. . . . lassé de vivre
Avec des gens muets, notre homme, un beau matin,
Va chercher compagnie et se met en campagne.
    L'ours, porté d'un même dessein,
    Venoit de quitter sa montagne.
    Tous deux par un cas surprenant,
    Se rencontrent en un tournant.
L'homme eut peur : mais comment esquiver ? et que faire ?
Se tirer en gascon d'une semblable affaire
Est le mieux : il sut donc dissimuler sa peur.
    L'ours, très mauvais complimenteur,
Lui dit : Viens t'en me voir. L'autre reprit : Seigneur...

Iᴅ., VIII, 10.

77

Petit vers servant à en introduire un grand

Enfin il arrive que le poète, pour une idée qu'il désire mettre en évidence, éprouve le besoin d'employer, parce qu'il lui semble mieux convenir que tout autre, le mètre même dont il s'est servi pour l'idée précédente. S'il ne change pas de mètre, l'idée nouvelle n'aura pas de relief. Pour attirer l'attention sur elle, il l'introduit par un petit vers rapide, qui a peu de sens par lui seul, que sa rapidité permet d'effacer presque complètement et qui, ne profitant pas lui-même de l'attention qu'il a éveillée, la rejette tout entière sur le vers suivant :

On se voit d'un autre œil qu'on ne voit son prochain.
   Le fabricateur souverain
Nous créa besaciers tous de même manière.

     LA FONTAINE, *Fables*, I, 7.

Médecins au lion viennent de toutes parts ;
De tous côtés lui vient des donneurs de recettes.
   Dans les visites qui sont faites
Le renard se dispense, et se tient clos et coi.

     ID., VIII, 3.

Peut-être a-t-il dans l'âme autant que moi de crainte,
   Et que le drôle parle ainsi
Pour me cacher sa peur sous une audace feinte.

     MOLIÈRE, *Amphitryon*.

X

La strophe

Définition de la strophe française

Une strophe française est un groupe de vers libres formant un système de rimes complet. Dans ce système peuvent entrer une ou plusieurs fois deux vers ou même trois vers de suite rimant ensemble ; mais deux rimse plates consécutives, c'est-à-dire quatre vers dont les deux premiers sont sur une rime et les deux derniers sur une autre, détruisent le système et par conséquent la strophe[1]. Les strophes sont appelées aussi *stances* dans les sujets religieux, philosophiques ou élégiaques, et *couplets* dans les chansons.

Le vers et la strophe

Anciennement une strophe contenait un sens complet, le développement finissant avec le système de rimes. Il en a été ainsi le plus souvent jusqu'à nos jours ; mais

---

[1]. On doit mettre à part le cas où chacune des deux rimes est répétée trois fois (ou davantage), le troisième vers étant isolé des deux autres ; ce ne sont plus alors de vraies rimes plates, et la strophe subsiste.

ce n'est pas une condition nécessaire et nos grands poètes lyriques ne se sont pas fait une règle inviolable de cette observance. Un vers isolé est au double point de vue de la syntaxe et du rythme une image réduite de la strophe. Il peut contenir un sens complet ; mais il peut aussi ne renfermer qu'un des éléments d'une période qui se développe en plusieurs vers ; la strophe peut de même n'être qu'une partie d'une longue période qui se déploie en plusieurs strophes ; pour n'en citer qu'un exemple, dans le seul *Napoléon II* de Victor Hugo, on voit par deux fois une vaste période couvrir jusqu'à quatre et même cinq strophes de ses larges replis. Un vers peut enjamber sur le suivant ; une strophe peut aussi enjamber sur une autre ; ainsi, dans le *Jeu de Paume* d'André Chénier, la onzième strophe enjambe sur la douzième. Déjà chez Pindare, dont les strophes reposent sur des principes tout différents, il arrivait qu'une strophe, pour produire un effet puissant, enjambât sur la suivante. Enfin, de même qu'un vers peut être composé de mesures toutes semblables ou au contraire variées, de même une strophe peut n'employer que le même mètre d'un bout à l'autre, ou être constituée par la réunion de mètres divers.

L'étendue de la strophe

Une strophe peut avoir un nombre de vers quelconque ; mais au-dessous de quatre vers il n'y a pas de strophe à proprement parler. Un distique, ou deux vers rimant ensemble, ne fait pas un système ; un tercet dont les trois vers sont sur une seule rime n'en fait pas davantage, et s'ils sont sur deux rimes le système est incomplet.

La disposition des rimes

Dans toutes les strophes deux principes règlent le groupement des rimes : on observe l'alternance des rimes masculines et féminines et on évite la succession de deux rimes plates.

La strophe de quatre vers

Dans la strophe de quatre vers les deux rimes peuvent donc être croisées :

> Au banquet de la vie, infortuné convive,
>> J'apparus un jour, et je meurs !
> Je meurs, et sur ma tombe, où lentement j'arrive,
>> Nul ne viendra verser des pleurs.
>>> GILBERT, *Odes*.

ou embrassées :

> Vous qui pleurez, venez à ce Dieu, car il pleure.
> Vous qui souffrez, venez à lui, car il guérit.
> Vous qui tremblez, venez à lui, car il sourit.
> Vous qui passez, venez à lui, car il demeure.
>> HUGO, *Contemplations*.

Comme la présence de deux rimes plates de suite détruit immanquablement toute strophe, il n'y a pas de strophes de quatre vers à rimes plates. Les deux exemples suivants d'A. de Musset, malgré la diversité des mètres, ne sont pas des strophes :

> Ce qui le blanchit n'est pas l'âge
>> Ni l'orage ;
> C'est la fraîche rosée en pleurs
>> Dans les fleurs.

> Laissons la vieille horloge,
> Au palais du vieux doge,
> Lui compter de ses nuits
>> Les longs ennuis.

Ce sont des fragments de deux pièces de quelque étendue. Dans la première chaque vers de huit syllabes est suivi d'un monomètre qui rime avec lui sous forme d'écho ; tous les quatre vers on a laissé typographiquement un blanc ; on aurait pu aussi bien en laisser un tous les six vers, tous les huit vers ou tous les deux vers, ou n'en laisser nulle part. Dans le deuxième cas il n'y a de vers-écho que tous les quatre vers ; il est évident que ces monomètres introduisent dans le poème des points de repère, des subdivisions même, si l'on veut, mais ils n'ont pas le pouvoir de transformer ces subdivisions en strophes. Il n'en résulte d'ailleurs aucun inconvénient pour ces poèmes.

La strophe de cinq vers

La strophe de cinq vers admet toutes les combinaisons possibles de ses deux rimes ; mais elles ne sont pas toutes également bonnes. Les meilleures sont celles dans lesquelles la rime du cinquième vers est attendue parce qu'elle n'est encore apparue qu'une fois :

> Nous ne passons qu'un instant sur la terre,
> Et tout n'y passe avec nous qu'un seul jour.
> Tâchons du moins, du fond de ce mystère,
> Par œuvre vive et franche et salutaire,
> De laisser trace en cet humain séjour.

> SAINTE-BEUVE, Pensées d'août.

Quand la rime du cinquième vers est déjà venue deux fois on ne l'attend plus, car les quatre premiers vers constituent déjà un système de rimes auquel il ne manque rien :

> Nous l'avons eu, votre Rhin allemand,
> Son sein porte une plaie ouverte,
> Du jour où Condé triomphant
> A déchiré sa robe verte.
> Où le père a passé passera bien l'enfant.

> MUSSET, Le Rhin allemand.

La strophe de six vers

C'est le défaut perpétuel de la strophe de six vers sur deux rimes ; le sixième vers, quand ce n'est pas le cinquième et le sixième, apporte une rime que l'on a déjà entendue deux fois. On peut éviter cet inconvénient en mettant quatre vers sur la même rime ; mais le plus souvent on construit cette strophe sur trois rimes, ce qui est en général bien préférable à tous les égards, et en particulier parce qu'il est alors très facile de bien la lier :

Mignonne, allons voir si la rose,
Qui ce matin avait desclose
Sa robe de pourpre au soleil,
A point perdu cette vesprée
Les plis de sa robe pourprée
Et son teint au vôtre pareil.

RONSARD.

Brillantes fleurs, naissez,
Herbe tendre, croissez
Le long de ces rivages ;
Venez, petits oiseaux,
Accorder vos ramages
Au doux bruit de leurs eaux.

LA FONTAINE, *Galatée.*

Pourtant on évite soigneusement, afin de ne pas égarer l'oreille, de commencer cette strophe par trois vers ayant chacun une rime différente.

La strophe de sept vers

La strophe de sept vers est trop souvent composée d'un quatrain suivi de trois vers qu'on n'attend pas et qui y sont rattachés assez artificiellement :

Un bouclier de cuivre à son bras sonne et luit,
Rouge comme la lune au milieu d'une brume ;
Son cheval hennissant mâche un frein blanc d'écume ;
Un long sillon de poudre en sa course le suit.
Quand il passe au galop sur le pavé sonore,
On fait silence, on dit : C'est un cavalier maure !
    Et chacun se retourne au bruit.

HUGO, *Orientales.*

La forme suivante est pire, les trois derniers vers étant tout à fait isolés :

> Le petit coin, le petit nid
>   Que j'ai trouvés,
> Les grands espoirs que j'ai couvés,
>   Dieu les bénit ;
> Les heures des fautes passées
>   Sont effacées
> Au pur cadran de mes pensées.
>
> <div align="right">VERLAINE, <i>Amour.</i></div>

Le meilleur type, le mieux lié et le mieux distribué, est le suivant :

> Le temps emporte sur son aile
> Et le printemps et l'hirondelle,
> Et la vie et les jours perdus ;
> Tout s'en va comme la fumée,
> L'espérance et la renommée,
> Et moi qui vous ai tant aimée,
> Et toi qui ne t'en souviens plus !
>
> <div align="right">MUSSET, <i>A Juana.</i></div>

La strophe de huit vers

La strophe de huit vers sur trois rimes peut être parfaitement liée, comme la suivante :

> Que j'aime à voir, dans les vesprées
>   Empourprées,
> Jaillir en veines diaprées
> Les rosaces d'or des couvents !
> Oh ! que j'aime aux voûtes gothiques
>   Des portiques,
> Les vieux saints de pierre athlétiques
> Priant tout bas pour les vivants !
>
> <div align="right">MUSSET, <i>Stances.</i></div>

Mais elle ne peut convenir qu'à des poèmes assez courts, car ses deux rimes répétées chacune trois fois la rendent vite fatigante.

Sur deux rimes elle est toujours mauvaise ; pour qu'elle fût bien liée il faudrait que l'une de ces rimes fût répétée six fois, ce qui n'est guère tolérable ; et si ses deux rimes sont répétées chacune quatre fois, elle se termine forcément par une sorte d'appendice, qui n'est rattaché au système complet du début que par des rimes déjà entendues suffisamment :

> Et vous qui reposez sous la feuillée obscure,
> Qui vous a réveillés dans vos nids de verdure ?
>> Oiseaux des ondes ou des bois,
>> Hôtes des sillons ou des toits,
>> Pourquoi confondez-vous vos voix
>> Dans ce vague et confus murmure
>> Qui meurt et renaît à la fois,
>> Comme un soupir de la nature ?
>>> LAMARTINE.

Il y a là, au début, quatre vers à rimes plates, ce qui n'a rien de strophique.

L'inconvénient de l'appendice n'est pas rare non plus sur trois rimes :

> Mur, ville
> Et port,
> Asile
> De mort,
> Mer grise
> Où brise
> La brise,
> Tout dort.
>> HUGO, *Les Djinns.*

Quant au type suivant sur quatre rimes, ce n'est que par convention qu'on peut lui donner le nom de strophe de huit vers ; en réalité ce sont deux strophes de quatre vers rapprochés typographiquement ; il n'y a aucun lien entre les deux :

> Sa grandeur éblouit l'histoire.
>> Quinze ans il fut
> Le dieu qui traînait la victoire
>> Sur son affût ;
> L'Europe sous sa loi guerrière
>> Se débattit.
> Toi, son singe, marche derrière
>> Petit, petit.
>>> HUGO, *Châtiments*

L'unité de la strophe

Une strophe ne doit pas être composée de plusieurs parties qui, isolées, constitueraient chacune une strophe plus petite ou un système complet. Ce défaut, qui vient d'être signalé dans une prétendue strophe de huit vers, est à peu près inévitable lorsqu'on groupe ensemble neuf vers ou davantage.

Le groupe suivant est la juxtaposition d'une strophe de quatre et d'une de cinq :

> Qui donc es-tu ? — Tu n'es pas mon bon ange ;
> Jamais tu ne viens m'avertir.
> Tu vois mes maux (c'est une chose étrange !)
> Et tu me regardes souffrir.
> Depuis vingt ans tu marches dans ma voie
> Et je ne saurais t'appeler.
> Qui donc es-tu, si c'est Dieu qui t'envoie ?
> Tu me souris sans partager ma joie,
> Tu me plains sans me consoler.
>
> <div align="right">MUSSET, <i>Nuit de décembre.</i></div>

Cet autre est composé d'une strophe de quatre suivie d'une de six, ou plutôt encore de deux de quatre séparées par deux vers à rimes plates :

> Percé jusques au fond du cœur
> D'une atteinte imprévue aussi bien que mortelle,
> Misérable vengeur d'une juste querelle,
> Et malheureux objet d'une injuste rigueur,
> Je demeure immobile, et mon âme abattue
> Cède au coup qui me tue.
> Si près de voir mon feu récompensé,
> O Dieu, l'étrange peine !
> En cet affront mon père est l'offensé,
> Et l'offenseur, le père de Chimène !
>
> <div align="right">CORNEILLE, <i>Le Cid.</i></div>

Même la célèbre strophe de douze vers imaginée par Victor Hugo est en réalité la réunion d'une strophe de quatre et d'une de huit :

Longue nuit ! tourmente éternelle !
Le ciel n'a pas un coin d'azur,
Hommes et choses, pêle-mêle,
Vont roulant dans l'abîme obscur.
Tout dérive et s'en va sous l'onde,
Rois au berceau, maîtres du monde,
Le f018 chauve et la tête blonde,
Grand et petit Napoléon !
Tout s'efface, tout se délie,
Le flot sur le flot se replie,
Et la vague qui passe oublie
Léviathan comme Alcyon !

HUGO, Napoléon II.

Est-ce à dire que ce procédé soit mauvais et blâmable ? En aucune mesure ; Victor Hugo en particulier a en général tiré de sa strophe d'excellents effets d'accumulation (cf. p. 104), la première partie introduisant l'idée qui se développe avec ampleur dans la seconde. Mais il est indispensable que ceux qui ont recours à cette pratique sachent qu'ils ne font pas une strophe, mais deux. Ce sont des agrégats de strophes, ou, si l'on préfère, des strophes différentes qui se suivent dans un ordre déterminé.

Les divers types de poèmes en strophes

Le poète en effet choisit à son gré les types de strophes qu'il emploie dans son œuvre et les répartit comme il l'entend. Très souvent il se sert de la même strophe d'un bout à l'autre de son poème, avec partout la même disposition de rimes et le même groupement de mètres ; ce mode rappelle, avec des éléments plus étendus, les poèmes où l'on ne se sert que d'un seul et même mètre. D'autres fois ce sont deux strophes différentes qui alternent régulièrement, à l'image des poèmes où un certain mètre alterne continuellement avec un certain autre. Ou bien le poème est en strophes libres, c'est-à-dire qu'il en contient de plusieurs formes diverses. Elles peuvent alors, mais le cas est rare, être toutes différentes l'une de l'autre, comme dans *La Retraite* de Lamartine (*Premières Méditations*,

XIII). Il en est de même, à ce point de vue, de telle fable de La Fontaine, que l'on peut déclarer construite en strophes du commencement à la fin ; par exemple *L'Homme entre deux âges et ses deux Maîtresses* (livre I, 17) peut se subdiviser en sept strophes, une de quatre vers, une de cinq, deux de quatre, une de six et deux de quatre. Les œuvres de ce genre ne se distinguent des poèmes en vers libres que parce qu'elles n'admettent pas deux rimes plates de suite. Il n'y a pas de poèmes à rimes libres d'une certaine étendue qui ne contiennent des strophes çà et là. Mais le plus fréquemment les pièces en strophes libres présentent des séries de strophes semblables ; c'est ainsi qu'un poème en mètres libres n'est composé qu'exceptionnellement de mètres tous différents, et reproduit d'ordinaire le même mètre plusieurs fois de suite ou à des intervalles plus ou moins grands.

Le choix des mètres dans la strophe et des strophes dans le poème

Le nombre des combinaisons possibles est d'ailleurs illimité, mais le caprice et le hasard n'ont pas plus de rôle à jouer dans les poèmes en strophes que dans les poèmes en vers libres. Le choix des mètres dans une strophe est déterminé par les nuances de la pensée qu'ils doivent renfermer, conformément aux mêmes principes que dans les œuvres en vers libres. Le choix des strophes dans l'ensemble du poème est régi à son tour par des principes analogues. Le ton du poème doit varier comme les sentiments et les événements qui l'inspirent ; chaque strophe reflétant un aspect partiel de la pensée du poète, elle doit par sa forme en faire sentir et en rendre en quelque sorte tangibles les moindres nuances. Enfin ce travail délicat, qui consiste à mouler exactement la strophe sur les détails de l'idée exprimée, est le plus souvent inséparable du travail contraire. Quand le poète adopte une même forme de strophe pour tout son poème ou pour une partie, il doit, lorsqu'il a déterminé cette forme de strophe, modeler les idées qu'il exprime dans chaque strophe sur le moule qu'il a choisi. Il doit s'arranger de façon que dans chacune, prise isolément, tout changement de mètre soit justifiable et même exigé par le sens.

Les strophes et le rythme

Il semble à première vue que les strophes, surtout lorsqu'elles sont composées de mètres variés et se répètent en ramenant les mêmes mètres dans le même ordre, pourraient être définies : *un système rythmique fermé ou complet.* Mais en fait aucun poète jusqu'à présent, même parmi les chansonniers, ne semble s'être astreint à rythmer exactement de la même manière les vers qui se correspondent dans deux strophes extérieurement semblables ; ils n'ont pas cherché à y faire tomber les coupes aux mêmes places ni même à en mettre le même nombre. La notion de rythme ne saurait donc entrer actuellement dans une définition de la strophe française.

XI

Les poèmes à forme fixe

Généralités

Notre versification possède un certain nombre de poèmes à forme fixe, dont les uns remontent aux premiers temps de notre littérature tandis que d'autres sont récents. La plupart sont aujourd'hui ou tout à fait oubliés ou à peu près abandonnés, mais quelques-uns ont eu un regain de fortune au XIXᵉ siècle. Presque tous sont très courts et ne comportent pas grand-chose de plus qu'une stricte observation des règles, parfois compliquées, de la facilité et, à l'occasion, de l'esprit. Ce sont surtout des poèmes de circonstance, et nos grands poètes se sont rarement astreints à enfermer leurs pensées dans ces cadres étroits. Certains pourtant n'excluent pas la poésie, particulièrement ceux dont la longueur n'est pas limitée.

Les poèmes d'une seule strophe

Une strophe étant une unité quand le sens finit avec elle, un poème peut être constitué par une strophe unique. Les plus usitées parmi les strophes que l'on a vues au chapitre précédent ont été employées de cette manière sous les noms de *quatrain, quintain, sixain, huitain, dizain.* Il faut y ajouter le *distique,* composé de deux vers rimant ensemble, ce qui ne constitue pas une strophe (cf. p. 80) :

> Églé, belle et poète, a deux petits travers :
> Elle fait son visage et ne fait pas ses vers.
>
> ÉCOUCHARD-LEBRUN.

et le *tercet,* composé de trois vers rimant ensemble, qui n'est pas davantage une strophe.

Le *quatrain* se construit sur deux rimes croisées ou embrassées, comme les deux strophes citées à la page 81, dont l'une, celle de V. Hugo, est d'ailleurs un quatrain, inscrit par l'auteur au pied d'un crucifix. Le quatrain monorime n'est qu'un jeu malencontreux, et le quatrain sur deux rimes plates n'est pas une strophe ; c'est un poème terminé après quatre vers.

Le *quintain* ou *quintil* admet les mêmes dispositions de rimes que la strophe de cinq vers (cf. p. 82).

Le *sixain* ne se construit que sur trois rimes : deux vers à rimes plates suivis de quatre vers à rimes croisées ou embrassées (cf. p. 82).

Le *huitain* ne dispose pas de toute la variété de formes qu'on trouve dans la strophe de huit vers (p. 84) ; il se construit toujours sur trois rimes, dont l'une est répétée quatre fois. Ce sont deux strophes de quatre vers, à rimes croisées ou embrassées, unies seulement par le fait que le quatrième et le cinquième vers ont obligatoirement la même rime :

> Lorsque Maillart, juge d'enfer, menoit
> A Monfaucon Samblançay l'ame rendre,
> A vostre advis, lequel des deux tenoit
> Meilleur maintien ? Pour le vous faire entendre,
> Maillart sembloit homme que mort va prendre ;
> Et Samblançay fut si ferme vieillart
> Que l'on cuidoit, pour vray, qu'il menast pendre
> A Monfaucon le Lieutenant Maillart.
>
> MAROT, *Épigrammes.*

Le *dizain* traditionnel ne se compose pas, comme d'ordinaire la strophe de dix vers, d'une strophe de quatre vers suivie sans lien d'une strophe de six, mais de deux strophes de cinq vers qu'on a grand soin de lier tant bien que mal en évitant d'arrêter le sens entre les deux. De plus le dizain n'a que quatre rimes différentes, tandis que la strophe en a cinq ; le premier vers rime avec le troisième, le second avec le quatrième et le cinquième ; les rimes de la seconde partie sont placées dans l'ordre inverse :

> Un charlatan disoit en plein marché
> Qu'il monstreroit le dyable à tout le monde :
> S'il n'y en eut, tant fut-il empesché,
> Qui ne courust pour voir l'esprit immonde.
> Lors une bourse assez large et profonde
> Il leur deploye, et leur dit : « Gens de bien,
> Ouvrez vos yeux, voyez, y a-t-il rien ?
> — Non, dit quelqu'un des plus près regardans.
> — Et c'est, dit-il, le dyable, oyez-vous bien,
> Ouvrir sa bourse et ne voyr rien dedans ».

MELLIN DE SAINT-GELAIS.

Le lai

Parmi les poèmes à forme fixe qui ne se composent pas d'une strophe unique, l'un des plus anciens est le *lai*, qui a été abandonné depuis le XVIe siècle. Il admettait un nombre indéterminé de couplets sur deux rimes entremêlées à volonté pourvu que l'une des deux fût dominante. Le nombre des vers de chaque couplet n'était pas limité et les divers couplets n'en avaient même pas obligatoirement le même nombre. Les mètres les plus usités étaient les vers de sept, de cinq et de trois syllabes, combinés et mélangés au gré du poète dans chaque couplet ; seuls le premier et le dernier couplets devaient présenter les mêmes combinaisons.

Le virelai

Le *virelai*, particulièrement usité au XVe siècle, nous est connu sous plusieurs formes. On peut d'ailleurs remarquer d'une manière générale que la plupart des poèmes à forme fixe ne sont pas absolument fixes ou n'ont pas atteint leur fixité du premier coup. Sous une de ses formes le virelai est construit comme un lai, mais avec cette particularité que la rime dominante du deuxième couplet, au lieu d'être quelconque, est la même que la rime dominée du premier ; la rime dominante du troisième est la rime dominée du deuxième, et ainsi de suite, jusqu'au dernier qui reproduit le dispositif du premier avec les deux mêmes rimes en ordre inverse. En somme c'est un lai où la rime dominée est *virée* en dominante d'un couplet à l'autre.

Ces reprises de rimes constituent déjà en quelque mesure une sorte de refrain. Dans les autres formes il y a un refrain véritable. Les premiers vers du premier couplet, en nombre quelconque, *revirent*, c'est-à-dire reviennent à la fin de chacun des couplets suivants. Ou bien, et c'est le cas le plus fréquent, les deux premiers vers seulement fournissent le refrain, revenant alternativement à la fin de chaque couplet, d'abord le premier, puis le second, jusqu'au dernier couplet qui se termine en reprenant les deux vers, mais en ordre inverse. Dans un cas comme dans l'autre le nombre des couplets et celui des vers de chaque couplet sont indéterminés. On peut employer des mètres différents, comme dans le lai, ou bien garder le même mètre d'un bout à l'autre.

La villanelle

La *villanelle*, surtout en faveur au XVIe siècle, mais reprise par quelques poètes modernes, est une chanson rustique divisée en tercets et écrite sur deux rimes. Le premier et le troisième vers, qui riment ensemble, se répètent alternativement au troisième vers de chaque tercet et ensemble à la fin du dernier couplet, qui a ainsi quatre vers :

J'ai perdu ma tourterelle.
Est-ce point elle que j'oy ?
Je veux aller après elle.

Tu regrettes ta femelle,
Hélas ! aussy fay-je moy :
J'ai perdu ma tourterelle.

Si ton amour est fidèle,
Aussy est ferme ma foy :
Je veux aller après elle.

Ta plainte se renouvelle,
Toujours plaindre je me doy :
J'ai perdu ma tourterelle.

En ne voyant plus la belle,
Plus rien de beau je ne voy :
Je veux aller après elle.

Mort, que tant de fois j'appelle,
Prends ce qui se donne à toy :
J'ai perdu ma tourterelle,
Je veux aller après elle.

PASSERAT.

Le triolet

Le *triolet*, dont on a des exemples dès le XIIIe siècle, eut une grande vogue jusqu'à la Renaissance, puis resta à peu près inusité jusqu'à la deuxième moitié du XVIIe siècle ; mais il retrouva à cette époque une certaine faveur, et n'est plus sorti de l'usage depuis lors. Il est généralement composé de huit vers sur deux rimes, et construit de telle sorte que le premier vers revient comme quatrième, et que le septième et le huitième sont la répétition du premier et du deuxième. La rime dominée n'apparaît qu'aux deuxième, sixième et huitième vers. Quand il n'y a que sept vers, c'est que le deuxième n'est pas répété à la fin. Une pièce peut être constituée par un seul triolet ou par une suite de triolets. En voici un exemple tiré d'une pièce d'Alphonse Daudet :

De tous côtés, d'ici, de là,
Les oiseaux chantaient dans les branches,
En si bémol, en ut, en la,
De tous côtés, d'ici, de là.
Les prés en habit de gala
Étaient pleins de fleurettes blanches.
De tous côtés, d'ici, de là,
Les oiseaux chantaient dans les branches.

Le rondel

Les *rondels* ou rondeaux anciens eurent leur période d'éclat entre le XIVe et le XVIe siècles ; abandonnés aux XVIIe et XVIIIe siècles, ils ont été repris par quelques poètes modernes. Ils rappellent les triolets, mais sont un peu plus étendus ; il en est de 9, de 10, de 12, de 13 et de 15 vers. Celui de 13 vers est le plus fréquent ; le premier et le deuxième vers reviennent comme refrain après le sixième vers, et le premier vers constitue de nouveau, par un refrain final, le treizième vers :

Dieu ! qu'il la fait bon regarder,
La gracieuse, bonne et belle !
Pour les grands biens qui sont en elle
Chascun est prest de la loüer.

Qui se pourroit d'elle lasser ?
Tous jours sa beautè renouvelle.
Dieu ! qu'il la fait bon regarder,
La gracieuse, bonne et belle !

Par deça, ni dela la mer
Ne sçay dame ni demoiselle
Qui soit en tous biens parfais telle.
C'est un songe que d'y penser :
Dieu ! qu'il la fait bon regarder !

CHARLES D'ORLÉANS.

On peut répéter à la fin, au lieu du premier vers seulement, les deux premiers vers ; la pièce en contient alors quatorze. Elle est tout entière sur deux rimes, et se divise en trois couplets de quatre vers, plus le refrain final ; le premier et le dernier couplets sont à rimes embrassées et le deuxième à rimes croisées.

Le rondeau

Le *rondeau* ou rondeau nouveau, établi par étapes successives à la fin du xve siècle, eut deux époques particulièrement brillantes, la première moitié du xvie siècle et la première du xviie ; mais il n'a jamais cessé complètement d'être cultivé. Il est aussi sur deux rimes et composé de treize vers, plus le refrain du milieu et celui de la fin, qui sont hors rime et constitués par la reprise des premiers mots du premier vers ou de mots sonnant de même. On le divise en trois parties, deux de cinq vers séparées par une de trois. Le refrain vient après celle de trois et après la dernière. La première rime est employée huit fois et la seconde cinq ; la rime dominante apparaît ordinairement deux fois au commencement de chaque subdivision et une fois à la fin de la première et de la dernière. Tel est du moins le moule adopté presque sans exception au xvie et au xviie siècles. Les poètes modernes, trouvant cette disposition des rimes un peu monotone, n'ont pas craint d'en adopter une autre :

Dans dix ans d'ici seulement
Vous serez un peu moins cruelle.
C'est long, à parler franchement.
L'amour viendra probablement
Donner à l'horloge un coup d'aile.

Votre beauté nous ensorcelle,
Prenez-y garde cependant :
On apprend plus d'une nouvelle
    En dix ans.

Quand ce temps viendra, d'un amant
Je serai le parfait modèle,
Trop bête pour être inconstant,
Et trop laid pour être infidèle.
Mais vous serez encor trop belle
    Dans dix ans.   A. DE MUSSET.

Le rondeau redoublé

Le *rondeau redoublé* n'a que deux traits communs avec celui dont il vient d'être question : il est construit sur deux rimes et se termine par un refrain qui reprend les premiers mots du premier vers. Mais son plan est tout différent, il se compose de six strophes de quatre vers à rimes croisées ; chacun des vers de la première strophe devient à son rang le quatrième vers des quatre strophes qui suivent ; la sixième a ses quatre vers nouveaux, après lesquels vient le refrain qui ne rime pas. On n'en trouve guère que des exemples isolés, chez Marot, La Fontaine, Benserade, Mme Deshoulières, et plus près le nous Banville.

La glose

La *glose*, introduite en France avec Anne d'Autriche et les Espagnols, ne s'est jamais bien acclimatée chez nous. Il n'y en a guère qu'une qui soit bien connue, c'est celle que fit Sarrazin sur le *Sonnet de Job* de Benserade. Ce genre de poème est la paraphrase ou la parodie d'un autre poème ; il est en strophes de quatre vers et en contient autant qu'il y a de vers dans le poème glosé ; en effet chacun de ces vers constitue, à son rang, le quatrième vers de chacune des strophes de la glose. Le rondeau redoublé est dans une certaine mesure la glose de ses quatre premiers vers.

La ballade

La *ballade* apparaît vers le xive siècle. Très en faveur au siècle suivant, abandonnée de la Pléiade et des poètes du xviie et du xviiie siècles, sauf Voiture, Sarrazin, La Fontaine, Mme Deshoulières et J.-B. Rousseau, elle a de nouveau été cultivée au xixe. Elle comprend régulièrement trois couplets et un *envoi*, composés sur les mêmes rimes. Le plus souvent elle est écrite en vers de huit ou

97

de dix syllabes, et les couplets comprennent autant de
vers que les vers ont de syllabes ; l'envoi reproduit la
forme de la seconde moitié d'un couplet. Il en est irré-
gulières. C'est encore un poème à refrain, car le dernier
vers du premier couplet revient comme dernier vers des
deux autres et de l'envoi. Ce poème a suffisamment d'ampleur et de liberté pour que la poésie y puisse aisément
trouver place, comme dans la célèbre *Ballade des pendus*
de Villon :

Frères humains qui après nous vivez,
N'aiez les cuers contre nous endurcis ;
Car se pitié de nous povres avez,
Dieu en aura plus tost de vous mercis.
Vous nous voiez cy atachez, cinq, sis ;
Quant de la chair, que trop avons nourrie,
Elle est pieça[1] devoree et pourrie,
Et nous, les os, devenons cendre et poudre.
De nostre mal personne ne s'en rie,
Mais priez Dieu que tous nous vueille absouldre !

Se vous clamons frères[2] pas n'en devez·
Avoir desdaing, quoy que fusmes occis
Par justice ; toutesfois vous sçavez
Que tous hommes n'ont pas bon sens assis[3]
Excusez-nous, puis que sommes transis[4],
Envers le filz de la Vierge Marie,
Que sa grace ne soit pour nous tarie,
Nous preservant de l'infernale fouldre,
Nous sommes mors : ame ne nous harie[5]
Mais priez Dieu que tous nous vueille absouldre !

La pluye nous a buez[6] et lavez
Et le soleil dessechez et noircis ;
Pies, corbeaux nous ont les yeux cavez
Et arraché la barbe et les sourcilz ;

---

1. « depuis longtemps. »
2. « si nous vous appelons frères. »
3. « établi dans leur esprit. »
4. « trépassés. »
5. « que personne ne nous harcèle. »
6. « lessivés. »

Jamais, nul temps, nous ne sommes rassis[1] ;
Puis ça puis la, comme le vent varie,
A son plaisir sans cesser nous charie,
Plus becquetez d'oiseaulx que dez à coudre.
Ne soiez donc de nostre confrarie ;
Mais priez Dieu que tous nous vueille absouldre !

Envoi

Prince Jesus, qui sur tous as maistrie,
Garde qu'Enfer n'ait de nous seigneurie :
A luy n'avons que faire ne que souldre[2].
Hommes, icy n'a point de moquerie,
Mais priez Dieu que tous nous vueille absouldre !

Le chant royal

Le *chant royal* est une ballade de cinq couplets au lieu
de trois. Les couplets sont le plus souvent de onze vers,
et l'envoi de cinq, de six ou de sept. Eustache Deschamps,
Villon et Marot s'y sont particulièrement distingués.
Abandonné depuis le XVIᵉ siècle, il a été repris quelquefois
au XIXᵉ.

L'acrostiche

L'*acrostiche* est aujourd'hui justement dédaigné, mais
Villon, Marot, Gringore y ont dépensé du talent. C'est
plutôt un jeu de société qu'un poème. Les lettres qui
constituent le nom de la personne à laquelle il s'adresse
ou dont il parle commencent chacune à son rang chacun
des vers de la pièce. Pour le reste, pleine liberté.

La sextine

La *sextine*, dont il y a quelques exemples au XVIᵉ siècle
et au XIXᵉ, est d'importation italienne. Elle s'écrit en
alexandrins, sur deux rimes, et se compose de six strophes

---

1. « en repos. »
2. « nous n'avons rien à régler avec lui ».

de six vers, suivies d'une demi-strophe de trois. Le premier vers de chaque strophe rime avec le troisième et le quatrième, le second avec le cinquième et le sixième. Il n'y a pas d'autres mots à la rime que les six qu'y a mis la première strophe, mais ils figurent dans un autre ordre aux strophes suivantes, à savoir d'abord le sixième puis le premier de la strophe précédente, le cinquième puis le deuxième, le quatrième puis le troisième. Les six mots reparaissent dans la strophe finale, à raison de deux par vers, et dans le même ordre qu'à la première strophe, mais de telle sorte que les mots des rimes impaires de cette strophe entrent dans le premier hémistiche, mais non à la fin de cet hémistiche, et ceux des rimes paires à la rime. Ce poème est assez étendu pour que la poésie puisse y trouver place, mais elle est constamment gênée par les entraves matérielles auxquelles l'ouvrier se heurte à chaque pas ; quand on n'y trouve que le mérite des difficultés vaincues on regrette que l'auteur n'ait pas fait un meilleur usage de son talent.

La terza-rima

La *terza-rima*, importée d'Italie en France au XVIe siècle, y fut cultivée, assez peu d'ailleurs, par Salel, Jodelle, Baïf, Desportes ; elle fut totalement abandonnée aux XVIIe et XVIIIe siècles, et reparut au XIXe, particulièrement sous la plume de Théophile Gautier et de Leconte de Lisle, qui la mirent en honneur. Ce poème est écrit d'ordinaire en alexandrins. Sa longueur n'est pas limitée. La disposition de ses rimes en fait la difficulté et en même temps le principal intérêt. Le premier vers rime avec le troisième, le second avec le quatrième et le sixième, le cinquième avec le septième et le neuvième, et ainsi de suite ; toutes les rimes sont donc répétées trois fois. sauf la première et la dernière, et il n'y a nulle part de rimes plates. Typographiquement on divise la terza-rima par des blancs en groupes de trois vers ou tercets, le dernier vers restant isolé. Dans chaque tercet le premier et le troisième vers riment ensemble et entourent un vers qui rime avec le premier et le troisième du tercet suivant. Il y a un enchaînement continu des rimes d'un bout à l'autre du poème.

Le pantoum

Le *pantoum* est tout moderne en français. L'idée en fut suggérée par la traduction d'un pantoum ou chant malais que V. Hugo donna dans les notes des *Orientales* en 1829, et dont Th. Gautier ne tarda pas à faire une imitation en vers. Mais ce n'est qu'une vingtaine d'années plus tard qu'on tenta d'acclimater ce poème dans notre langue. Il est écrit en strophes de quatre vers à rimes croisées, construites de telle sorte que le deuxième et le quatrième vers de chacune passent dans la suivante pour en former le premier et le troisième vers ; le premier vers de la pièce doit en outre revenir à la fin, comme dernier vers. Telle est la structure matérielle du poème ; mais ce ne sont pas ces répétitions qui en constituent la particularité vraiment originale ; il développe dans chaque strophe, et d'un bout à l'autre, deux idées différentes, l'une remplissant les deux premiers vers de chaque strophe et l'autre les deux derniers. Généralement la première est plutôt extérieure et pittoresque, l'autre intime et morale. Ces deux idées n'ont rien de commun, mais il est facile de comprendre quels effets un poète peut tirer de la poursuite de ces deux motifs différents, de ces deux antithèses continuellement parallèles, qui se lient tout en s'opposant.

L'iambe

Nous avons déjà dit un mot de l'iambe ; c'est un poème dans lequel un vers de douze syllabes alterne continuellement avec un de huit ; ses rimes sont croisées, en sorte qu'il est composé en réalité de strophes de quatre vers. Son étendue n'est pas limitée ; la pièce à laquelle nous avons emprunté un fragment (p. 75) se développe en

176 vers. L'iambe n'est devenu un genre que depuis André Chénier et Auguste Barbier. Il est difficile à manier, non pas que le poète soit gêné par un cadre trop étroit ou par des dispositions de rimes préétablies, mais la violence du contraste rythmique produit par les deux vers qui alternent continuellement demande d'un bout à l'autre même violence dans les idées exprimées. Un pareil effort est malaisé à soutenir. Les iambes de Barbier produisent un effet plus puissant et que ceux de Chénier et que ceux de Hugo dans *La Reculade (Châtiments)*.

Le sonnet

On peut terminer cette longue revue des poèmes à forme fixe de la littérature française par le *sonnet*, qui a été l'objet à diverses époques et en particulier dans la nôtre d'une prédilection très marquée. Originaire d'Italie, il n'est entré dans notre poésie qu'au XVIe siècle ; mais il y a eu tout de suite un grand succès, qui s'est maintenu au XVIIe siècle, pour reprendre au XIXe après une éclipse pendant le XVIIIe. Il est toujours très cultivé, bien qu'il lui arrive trop souvent, comme à la plupart des petits poèmes à forme fixe, de masquer l'absence d'inspiration sous des observances quasi mécaniques. Il se compose de quatorze vers, divisés en deux strophes de quatre vers sur deux rimes, et une de six vers sur trois rimes. La disposition des rimes doit être la même dans les deux strophes de quatre vers ; elles y sont généralement embrassées et quelquefois croisées. Pour la strophe de six vers, on a coutume de la séparer sur le papier en deux tercets, mais c'est en réalité une strophe unique, et la disposition de ses rimes est régie par les mêmes règles que dans toute strophe de six vers. On donne ordinairement, mais sans raison sérieuse, le nom de réguliers aux sonnets dont les strophes de quatre vers sont construites sur les mêmes rimes embrassées de la même manière, et dont la strophe de six vers se compose de deux vers à rimes plates, suivis de quatre vers à rimes croisées. L'exemple suivant de

Heredia, *Antoine et Cléopâtre*, n'est donc pas régulier, mais sa beauté n'en est pas amoindrie :

> Tous deux ils regardaient, de la haute terrasse,
> L'Égypte s'endormir sous un ciel étouffant
> Et le Fleuve, à travers le Delta noir qu'il fend,
> Vers Bubaste ou Saïs rouler son onde grasse.
>
> Et le Romain sentait sous la lourde cuirasse,
> Soldat captif berçant le sommeil d'un enfant,
> Ployer et défaillir sous son cœur triomphant
> Le corps voluptueux que son étreinte embrasse.
>
> Tournant sa tête pâle entre ses cheveux bruns
> Vers celui qu'enivraient d'invincibles parfums,
> Elle tendit sa bouche et ses prunelles claires ;
>
> Et, sur elle courbé, l'ardent Imperator
> Vit dans ses larges yeux étoilés de points d'or
> Toute une mer immense où fuyaient des galères.

Le sonnet, malgré son étendue très limitée, peut aborder tous les sujets, prendre tous les tons, et rien ne l'empêche de renfermer la poésie la plus haute, comme celui qui vient d'être cité et dont le dernier vers suscite brusquement en nous toute la vision de la bataille d'Actium, où Cléopâtre donna le signal de la fuite aux galères d'Antoine.

XII

Effets obtenus par la violation de certaines règles classiques

LA RIME

La non-alternance

La poésie classique observe scrupuleusement l'alternance des rimes masculines et féminines. Cette observance, établie au commencement du XVIe siècle, produit, sans que le poète ait besoin d'y prendre garde, une variété continuelle et régulière, qui est par elle-même un agrément. Mais si le poète veut produire une impression d'uniformité, de monotonie, s'il veut peindre un état ou une situation qui ne change pas, la non-alternance est un des procédés auxquels il peut avoir recours :

> Ciel gris au-dessus des charmes,
> Pluie invisible et si douce
> Que sa caresse à ma bouche
> Est comme un baiser en larmes.
>
> Vent qui flotte sur la plaine
> Avec les remous d'une onde,
> Doux vent qui sous le ciel sombre
> Erre comme une âme en peine.
>
> GREGH, *La Brise en larmes.*

Dans ce morceau les deux rimes plates de chaque quatrain sont remplacées par de simples assonances, mais l'effet n'est pas modifié par ce fait.

Il n'est pas indifférent, lorsqu'on n'alterne pas les rimes, de les faires toutes masculines ou toutes féminines. Les rimes masculines ont quelque chose de net, de bien arrêté, qui n'aurait pas du tout convenu à la mélancolie, à l'indécision de contours de la pièce qu'on vient de citer :

> Toujours, par monts et vallons,
> Nous allons
> Au galop des étalons,
>
> Toujours, toujours, de l'avant,
> En buvant
> La liberté dans le vent.
>
> RICHEPIN, *Les Blasphèmes.*

Les rimes féminines sont en quelque sorte prolongées par les consonnes qui suivent la voyelle accentuée, comme une corde qui vibre et retentit encore après que l'archet l'a quittée ; il en résulte une impression plus molle, plus douce et en même temps plus durable :

> Et j'ai rimé cette ode en rimes féminines
> Pour que l'impression en restât plus poignante,
> Et, par le souvenir des chastes héroïnes,
> Laissât dans plus d'un cœur sa blessure saignante.
>
> BANVILLE, *Erinna.*

> Écoutez la chanson bien douce
> Qui ne pleure que pour vous plaire.
> Elle est discrète, elle est légère :
> Un frisson d'eau sur de la mousse !
>
> VERLAINE, *Sagesse.*

L'alternance et la prononciation

L'alternance des rimes appelle une autre observation. Conforme à la définition que l'on en donne d'habitude (cf. p. 35), cette alternance était très réelle et très nette à l'époque où l'on prononçait tous les *e* à la fin des mots ;

mais aujourd'hui on n'en prononce plus aucun à la pause ; la langue s'étant peu à peu transformée, ils ont disparu par évolution phonétique. En sorte qu'il n'y a plus la moindre différence sensible pour la finale entre *fanfare* et *hasard*, entre *un dé* et *une idée*. Si donc on veut conserver l'alternance, et il y a tout avantage à n'y rénoncer qu'exceptionnellement et en vue d'effets particuliers, il ne faut pas prendre garde à l'orthographe, puisqu'elle ne répond plus à la prononciation. Il faut distinguer les rimes qui se terminent, dans la prononciation, avec la voyelle accentuée, et celles qui se terminent avec une consonne suivant cette voyelle. Les premières peuvent être appelées masculines et les secondes féminines, si l'on tient à conserver ces deux termes ; aussi bien ces deux nouvelles catégories recouvrent dans la majorité des cas les deux anciennes.

Avec la prononciation actuelle du français, il n'y a pas d'alternance dans les deux strophes suivantes, qui sont toutes en rimes masculines :

> Sur mes os consumés ma peau s'est desséchée,
> Les enfants m'ont chanté dans leurs dérisions ;
> Seul, au milieu des nations,
> Le Seigneur m'a jeté comme une herbe arrachée.
> Il s'est enveloppé de son divin courroux ;
> Il a fermé ma route, il a troublé ma voie ;
> Mon sein n'a plus connu la joie ;
> Et j'ai dit au Seigneur : Seigneur, souvenez-vous.
>
> LAMARTINE, *La Poésie sacrée.*

Mais dans la suivante le premier et le troisième vers ont une rime féminine, le deuxième et le quatrième une masculine :

> C'est le chien de Jean de Nivelle
> Qui mord sous l'œil même du guet
> Le chat de la mère Michel ;
> François-les-bas-bleus s'en égaie.
>
> VERLAINE, *Romances sans paroles.*

Les rimes assonant entre elles

Une autre pratique à laquelle s'astreignait la versification classique, contrairement à l'usage de nos plus anciens poètes, consiste à éviter que des rimes successives assonent entre elles. Lamartine n'y a pas pris garde dans le passage suivant :

> La vie a dispersé, comme l'épi sur l'aire,
> Loin du champ paternel les enfants et la mère,
> Et ce foyer chéri ressemble aux nids déserts
> D'où l'hirondelle a fui pendant de longs hivers.
>
> *Milly.*

Cette observance a pour but, comme la précédente, d'obtenir à coup sûr la variété ; mais le poète peut y déroger en vue d'un effet. Tout d'abord effet de monotonie :

> Souvenir, souvenir, que me veux-tu ? L'automne
> Faisait voler la grive à travers l'air atone,
> Et le soleil dardait un rayon monotone
> Sur le bois jaunissant où la bise détone.
>
> VERLAINE, *Poèmes saturniens.*

Dans cet exemple les quatre vers ont la même rime, et encore c'est une rime riche ; l'effet est un peu exagéré. D'ordinaire on se contente de multiplier les rimes qui assonent entre elles ou se rappellent, et on en répercute la note dans l'intérieur des vers. On peut par ce procédé mettre en relief une accumulation de faits analogues, une énumération d'idées parallèles :

> L'impie Achab détruit, et de son sang trempé
> Le champ que par le meurtre il avoit usurpé ;
> Près de ce champ fatal Jézabel immolée,
> Sous les pieds des chevaux cette reine foulée,
> Dans son sang inhumain les chiens désaltérés,
> Et de son corps hideux les membres déchirés ;
> De prophètes menteurs la troupe confondue,

Et la flamme du ciel sur l'autel descendue,
Élie aux éléments parlant ·en souver*ain*,
Les cieux par lui fermé*s* et devenus d'air*ain*,
Et la terre trois ans sans pluie et sans ros*ée* ;
Les morts se ranimant à la v*oix*[1] d'Élis*ée*.

RACINE, Athalie.

L'HIATUS

L'impression qu'il produit

On a vu plus haut qu'il n'y a aucune raison d'éviter les hiatus constitués par la rencontre de deux voyelles de timbre différent : ils ont une modulation souvent fort agréable. Mais ceux mêmes qui sont formés par deux mots dont l'un finit et l'autre commence par la même voyelle, et ce sont les seuls hiatus réels, peuvent être utilisés à l'occasion, précisément à cause de l'effet de bâillement, d'arrêt, de prolongement, d'hésitation, de heurt qu'ils produisent :

La nu*ée é*clate !

HUGO, Le Feu du Ciel.

A ces mots on cri*a h*aro sur le baudet.

LA FONTAINE, Fables.

Puis malgré quelqu*es h*eurts et quelques mauvais pas

ID., ibid.

Et bondis à travers l*a h*aletante orgie.

HEREDIA, Artémis.

La balance inclinant son bass*in in*certain.

LAMARTINE, L'Infini dans les Cieux.

---

1. Au XVIIᵉ siècle *oi* se prononçait *wè*.

L'ENJAMBEMENT

L'enjambement et la prononciation

L'enjambement constitue une discordance entre la syntaxe et le rythme : un élément syntaxique dépasse l'élément rythmique dans lequel il est contenu pour la plus grande partie. La portion de l'élément syntaxique qui est rejetée dans un autre élément rythmique est mise en un relief extraordinaire. Elle le doit au contraste que les vers à enjambement font avec les autres, dans lesquels le rythme et la syntaxe sont continuellement d'accord ; elle le doit non moins aux particularités que le débit de ces vers impose à la voix. Ce n'est pas que l'enjambement, comme certains l'ont dit, supprime la pause de la fin du vers, ni qu'il supprime ou même affaiblisse le dernier accent rythmique du vers ; loin de là, la pause finale du vers qui enjambe est aussi nette et aussi longue que celle des autres, et son dernier accent rythmique est aussi fort. Tout se réduit à ceci : tandis que dans les vers ordinaires on laisse tomber la voix à la fin de chaque vers, la voix reste soutenue et suspendue à la fin de ceux qui enjambent ; par là est éveillée l'attention de l'auditeur, qui reste dans l'attente tant que dure la pause ; puis comme la voix n'a pas baissé, elle doit, pour le rejet, augmenter d'intensité ou changer d'intonation.

Les bons enjambements

Il résulte de là que l'enjambement ne doit être employé que rarement, et seulement quand le poète éprouve le besoin de produire un effet puissant ; que les meilleurs enjambements sont ceux dans lesquels la pause de la fin du vers est facilitée, afin que le rejet se détache le plus possible, comme dans cet exemple de Chénier :

> L'entraîne, et quand sa bouche, ouverte avec effort,
> *Crie*, il y plonge ensemble et la flamme et la mort.
>
> *L'Aveugle.*

C'est pourquoi celui-ci de Verlaine est de tous points détestable :

> Il va falloir qu'enfin se rejoignent les
> *Sept péchés* aux Trois Vertus Théologales.

Mais il ne s'ensuit nullement qu'un rejet constitué par l'épithète du substantif placé à la rime ne puisse pas être excellent :

> Devant cette impassible et morne chevauchée,
> L'âme tremble et se sent des spectres approchée,
> Comme si l'on voyait la halte des marcheurs
> *Mystérieux* que l'aube efface en ses blancheurs.
>
> Hugo, Eviradnus.

Rien n'empêche, même dans ce cas, de reprendre sa respiration à la fin du vers ; aussi bien c'est souvent la meilleure manière de très bien dire.

Il résulte aussi des considérations précédentes qu'un bon rejet ne doit pas dépasser l'étendue d'une mesure ; si, dans l'alexandrin, il va rejoindre la coupe de l'hémistiche, l'effort se disperse et l'effet se perd.

L'enjambement et la rime

La Harpe prétendait que nos vers ne peuvent pas enjamber, parce qu'ils riment. Au contraire, c'est la rime qui leur permet d'enjamber. Pour qu'on puisse enjamber, il faut que les fins de vers soient très nettes, sans quoi les vers tendent à se confondre avec de la prose. Ceux des Grecs et des Latins, qui ne rimaient pas, pouvaient enjamber parce qu'ils étaient fortement rythmés et que la fin du vers était toujours sensible ; dans les nôtres, où le rythme est faiblement marqué, c'est la rime qui contribue le plus à indiquer la fin du vers. Son utilité pour les enjambements est si vraie, que c'est le jour où les romantiques, en même temps qu'ils variaient le rythme de leurs vers, se donnèrent pleine liberté pour l'emploi de l'enjambement, qu'ils éprouvèrent le besoin de renforcer leurs rimes et réclamèrent la rime riche.

L'enjambement au XVIIᵉ siècle

Ce n'est que depuis Chénier que l'enjambement est devenu un procédé artistique d'usage courant dans tous les genres de poésie. Au XVIIᵉ siècle il était presque exclusivement relégué dans les genres familiers, tels que la comédie, la fable. Racine, qui en a de délicieux dans *Les Plaideurs*, n'en présente qu'à peine un ou deux dans ses tragédies :

> Mais tout n'est pas détruit, et vous en laissez vivre
> *Un...* Votre fils, seigneur, me défend de poursuivre.
>
> *Phèdre.*

Mais La Fontaine, qui prend moins garde aux règles en cours qu'à son sentiment personnel, use d'enjambement toutes les fois qu'il lui semble bon :

> Enfin me voilà vieille ; il me laisse en un coin
> *Sans herbe :* s'il vouloit encor me laisser paître !
> Mais je suis attachée ; et si j'eusse eu pour maître
> *Un serpent,* eût-il su jamais pousser si loin
> *L'ingratitude ?* Adieu : j'ai dit ce que je pense.
>
> *Fables.*

Il jouit même, grâce à l'emploi du vers libre, de deux procédés qui lui sont personnels. Il introduit un vers de dix syllabes après un vers de douze ou après un vers de huit, et en constitue avec son rejet le premier hémistiche :

> Mais après certain temps souffrez qu'on vous propose
> Un époux beau, bien fait, jeune, et tout autre chose
> *Que le défunt.* Ah ! dit-elle aussitôt,
> Un cloître est l'époux qu'il me faut.
>
> *Ibid.*

L'effet produit par un tel rejet est plus considérable, à cause du changement de vitesse. S'il le veut encore plus puissant, il termine son rejet par une rime et en fait ainsi un petit vers, qui se détache nettement de ceux qui l'entourent :

> Même il m'est arrivé quelquefois de manger
> > *Le berger.*
>
> > > > *Fables.*

L'enjambement à l'hémistiche

L'enjambement à l'hémistiche, qui est déjà assez usité au XVIIᵉ siècle, et beaucoup plus fréquemment que l'autre dans la tragédie, consiste en ce que la première mesure du second hémistiche est plus étroitement liée au mot qui la précède qu'à ceux qui la suivent, bien que la coupe reste soigneusement observée. L'effet produit est un peu moins fort, parce que le rejet n'est pas précédé d'une rime et rarement d'une pause ; les procédés de prononciation sont les mêmes, augmentation d'intensité ou changement d'intonation ; la différence est donc bien petite ; on aura quelque peine à en reconnaître une entre cet exemple de Molière :

> ...Dites-lui seulement que je vien
> De la part de Monsieur | *Tartuffe*, pour son bien.
>
> > > > *Tartuffe.*

et celui-ci de Racine :

> Mais j'aperçois venir madame la comtesse
> *De Pimbesche*. Elle vient pour affaire qui presse.
>
> > > > *Les Plaideurs.*

La comparaison n'est pas moins frappante dans les passages suivants de V. Hugo, qui donnent à la fois les deux espèces de rejet :

> A Toulon, le fourgon | *les quitte*, le ponton
> *Les prend ;* sans vêtements, sans pain, sous le bâton...
>
> > > > *Les Châtiments.*

...comme un cèdre au milieu des palmiers
Règne, et comme Pathmos | *brille* entre les Sporades.
                                    Le Travail des Captifs.

Puis tremble, puis expire, et la voix qui chantait
S'éteint comme un oiseau | *se pose ;* tout se tait.
                                    Eviradnus.

Il fit scier son oncle Achmet entre deux planches
De cèdre, afin de faire | *honneur* à ce vieillard.
                                    Sultan Mourad.

Tous les faux trimètres de Racine, dont on a cité quelques-uns plus haut (p. 62), ont leur vraie place ici. On arrive à renforcer encore l'effet produit par le rejet à l'hémistiche en terminant le premier hémistiche par un mot à peu près dénué d'importance et qui n'aurait pas d'accent en prose (cf. p. 64) :

Une reine n'est pas | *reine* sans la beauté.
                                    HUGO, *Eviradnus.*

Le contre-rejet

Enfin on obtient un effet très analogue à celui du rejet au moyen du contre-rejet, qui se présente lorsqu'on commence une proposition dans le vers ou l'hémistiche qui précède celui où elle est contenue pour la plus grande partie :

                                    ...Je médite
Sur la terre *bénie* | au fond des cieux, | *maudite*
Au fond des temples noirs par le fakir sanglant.
                                    HUGO, *Toute la Lyre.*

Oui, trois de mes cités de Castille ou de Flandre,
Je les donnerais ! — *sauf*, | plus tard, à les reprendre.
                                    ID., *Hernani.*

Les deux mille vaisseaux qu'on voit à l'horizon
Ne me font pas peur. *J'ai* | nos quatre cents galères,
L'onde, l'ombre, l'écueil, le vent et nos colères.
                                    ID., *Le Détroit de l'Euripe.*

Or le nouveau marquis doit faire une visite
A l'histoire qu'il va continuer. *La loi*
Veut qu'il soit seul pendant la nuit qui le fait roi.
                                    ID., *Eviradnus.*

XIII

La variété du mouvement rythmique, le rythme du vers et celui de la prose

Le rythme du vers français est-il monotone ?

Beaucoup de personnes s'imaginent que nos vers du mode classique sont d'une intolérable monotonie et qu'ils sont tous rythmés d'une manière uniforme, si bien qu'on aurait été obligé, au XIXᵉ siècle, de recourir à l'enjambement et au rythme ternaire pour y introduire un peu de diversité. Ce sont là des jugements superficiels et erronés. L'enjambement et le rythme ternaire sont destinés uniquement à produire des effets particuliers, qui ont été étudiés dans les chapitres précédents ; quant au mouvement rythmique, il est, chez les bons versificateurs, d'une variété presque sans limites. On va s'en rendre compte par une analyse sommaire des trois vers suivants. C'est un passage qui n'a rien d'exceptionnel, que nous prenons presque au hasard en ouvrant Racine au début d'*Iphigénie*, et qui n'est certainement pas un des plus variés de cet auteur :

Heureux qui satisfait de son humble fortune,
Libre du joug superbe où je suis attaché,
Vit dans l'état obscur où les dieux l'ont caché.

Nous allons examiner rapidement comment ces vers sont rythmés, pourquoi ils sont rythmés ainsi, et en quoi leur rythme diffère de celui d'une phrase de prose qui serait composée des mêmes mots dans le même ordre.

Analyse rythmique de trois vers

Chacun de ces vers a trois coupes, et ses douze syllabes sont réparties par là en quatre groupes, comme dans tout bon vers classique. Ces groupes se terminent tous avec une syllabe accentuée, c'est-à-dire dans le premier vers avec la dernière syllabe de « heureux » et de « satisfait », et avec l'avant-dernière de « humble » et de « fortune », dans le second avec l'avant-dernière de « libre » et de « superbe » et la dernière de « où je suis » et de « attaché », dans le troisième enfin avec la dernière de « état », de « obscur », de « où les dieux » et de « caché ». Ces groupes ne sont pas égaux, n'ayant pas tous le même nombre de syllabes ; mais ils sont équivalents au point de vue rythmique, et équilibrés avec une approximation suffisante pour que l'oreille saisisse un rythme régulier. La valeur rythmique de chaque groupe est produite par le total des valeurs rythmiques de chacune des syllabes qui le composent. L'importance de chaque syllabe au point de vue rythmique peut être notée par un chiffre qui totalise les trois éléments dont la somme fait impression sur l'oreille à cet égard, la durée, l'intensité, la hauteur. La valeur prise ici pour unité est celle des syllabes qui sont les plus faibles au total. Voici, d'après ces principes, la traduction en chiffres de ces trois vers :

2 3 ½	1 1 1 3	1 1 3	1 1 3
4	1 1 1 1 2 ½	1 1 3	1 1 3
1 1 1 3	2 3 ½	1 1 3	1 1 3

Ces chiffres ne sont qu'approximatifs, mais c'est par là qu'ils sont justes ; plus précis ils ne pourraient représenter qu'une prononciation individuelle, et non pas la moyenne des prononciations correctes. Toute diction qui s'en écarterait notablement et surtout qui en changerait les rapports, serait incorrecte ou fausserait le sens. Tels quels, ils représentent assez bien les rapports que peut saisir une oreille délicate et exercée. Mais il ne faut pas toujours se fier sans réserve à son oreille lorsqu'il s'agit d'intensité ; diverses causes risquent de l'induire en erreur dans l'appréciation de l'intensité relative d'une syllabe, par exemple la présence dans cette syllabe d'une consonne plus sensible ou plus bruyante que les autres. On dispose aujourd'hui d'un moyen de contrôle excellent avec les appareils enregistreurs que fournit la phonétique instrumentale.

Si l'on remarque que les deux derniers groupes rythmiques de chacun de ces vers sont rigoureusement égaux, on comprendra aisément que ces trois vers ne sont pas parmi les plus variés de Racine ; mais le premier hémistiche de chacun ne ressemble à aucun des deux autres. Dans le premier et le troisième, les deux mesures présentent, il est vrai, les mêmes valeurs, mais en ordre inverse, 2 syllabes et 4 syllabes contre 4 et 2 ; dans le second elles sont tout autres, 1 syllabe et 5 syllabes.

L'accentuation de la prose

En prose le mot « humble » ne serait accentué que dans une langue très oratoire ; dans le parler courant il resterait sans accent, parce que « humble fortune » exprime une idée simple, à peu près l'équivalent de « médiocrité[1] ». Le second vers accentue « libre, superbe, suis, attaché » ; la prose accentuerait en outre « joug » parce que l'adjectif suit le substantif qu'il qualifie, mais elle n'accentuerait

---

1. Cf. GRAMMONT, *Traité pratique de prononciation française*, p. 121 et suivantes.

jamais « suis » dans le temps composé « je suis attaché ». Enfin dans le troisième vers « vit » n'est pas accentué alors qu'il le serait en prose.

Là où les vers ont un nombre fixe de groupes rythmiques, la prose en aurait un nombre quelconque. Il n'y aurait dans cette phrase en prose ni équilibre ni symétrie. Le vers est un moule souple, mais de capacité strictement limitée. Quand la phrase de prose apporte un rythme qui coïncide avec ses exigences, il l'adopte ; sinon, il lui impose le sien. C'est-à-dire qu'il peut à l'occasion faire surgir un accent là où la prose n'en admettrait pas ; le mot « suis » en fournit un exemple frappant ; on en a vu d'autres à la page 64. Il peut tout aussi bien supprimer un accent que la prose exige ; la suppression totale n'est d'ailleurs pas nécessaire ; il suffit qu'il l'affaiblisse en ne l'utilisant pas pour son rythme. Tel ici le mot « vit » au troisième vers.

Pourquoi le poète a rythmé ainsi ces trois vers

Racine a utilisé dans ces vers le procédé qui est expliqué à la page 53 pour mettre en relief les mots « heureux, libre, obscur », dont il a fait des éléments rythmiques lents. Par ces trois mots il évoque en nous tout l'état d'âme de son personnage. C'est Agamemnon, chef suprême de l'armée, qui s'apprête à naviguer vers Troie ; il sait par l'oracle que pour obtenir les vents favorables qui permettront de poursuivre l'expédition, il doit sacrifier sa fille Iphigénie. En proie aux terribles soucis qui le dévorent il ne répond pas aux questions de son serviteur Arcas, mais il énonce, comme se parlant à lui-même, les tristes réflexions qui se pressent dans son esprit surexcité. Par le mot « heureux » il nous fait envisager toute l'étendue de son malheur ; par le mot « libre » il nous fait comprendre sa situation actuelle et nous oblige à saisir ses aspirations du moment : lui, le roi des rois, il est le moins libre de tous, il est tenu par l'oracle, tenu par tous les rois qui l'accompagnent, tenu par les armées impatientes qui sont sous ses ordres, et il envie le sort du plus « obscur » de ses sujets, à qui personne n'ira demander de sacrifier sa fille pour le bien commun.

Ainsi, par un simple artifice rythmique, le poète nous force à pénétrer au fond des sentiments les plus intimes d'Agamemnon, à les sentir et à les percevoir avec plus de précision que s'il les avait décrits en longs développements. Ce sont de telles suggestions qui font du vers le plus précieux auxiliaire de la poésie ; la prose est inapte à les provoquer par les mêmes procédés et au même degré.

Les éléments rythmiques rapides qui sont en contact avec ces trois éléments lents n'ont pas d'autre effet que de faire ressortir ces derniers. Si Racine avait gardé pour son rythme l'accent de « vit », il aurait fait de ce mot un élément lent, et lui aurait donné autant de relief qu'au mot « libre » dans le vers précédent ; ç'eût été un contresens, car le mot « vit » est ici tout à fait banal, comme le seraient à sa place « est, se trouve, reste, demeure ».

Quant aux deux groupes rythmiques qui terminent chaque vers, le poète n'ayant rien à y mettre en évidence, les a faits tous semblables, contenant tous le nombre normal de trois syllabes, n'offrant ni variété ni contraste ; ainsi ils n'apportent au lecteur que ce que signifient les mots qui les composent.

Le rythme consonantique

S'il est vrai qu'en dehors des cas nettement déterminés et faciles à reconnaître où il présente plus de quatre éléments rythmiques (p. 69) l'alexandrin classique en a toujours quatre et jamais moins, comment les trouve-t-il lorsqu'un de ses hémistiches n'est composé que de petits mots dont le dernier seul peut être accentué, ou bien d'un grand mot, seul ou précédé de proclitiques inaccentuables par nature ? C'est le rythme consonantique qui les lui fournit : une consonne placée à l'intérieur de l'hémistiche est renforcée par l'augmentation de son intensité et la prolongation de sa tenue. L'impression qu'elle produit alors sur l'oreille n'est pas sans analogie avec celle d'un accent, d'autant plus que la voyelle qui la suit éprouve du même coup un accroissement de hauteur et de force. Cette consonne renforcée marque une séparation entre les syllabes de l'hémistiche et les répartit en deux groupes rythmiques.

Ce n'est pas une consonne quelconque qui est appelée à jouer ce rôle et subit cette modification ; c'est la première (ou le premier groupe de consonnes) du mot qui porte l'accent. Les règles qui déterminent son choix sont les mêmes que celles qui régissent en prose la place de l'accent d'insistance[1].

L'emploi du rythme consonantique

Ce rythme particulier ne doit pas apparaître au hasard. Les bons poètes savent en tirer divers effets, que l'on peut ramener essentiellement à deux catégories : comme l'oreille, habituée à la syllabe intense à l'intérieur de l'hémistiche, trouve cette autre indication rythmique moins nette et moins appuyée, l'hémistiche à rythme consonantique peut lui sembler plus léger et plus vif ; certains poètes l'ont employé pour donner une impression de légèreté et de négligence. Ainsi Musset en a tiré un merveilleux parti pour nous communiquer ses intentions dans les parties de ses poèmes qui ne sont que plaisanterie ou élégant badinage. Tels ces deux exemples, empruntés l'un aux stances *À Ninon* et l'autre à *Namouna* :

Si je vous le *D*isais, | pourtant, | que je vous aime,
Qui sait, | brune aux yeux bleus, | ce que vous en *D*iriez
....
Peut-ê|tre cependant | que vous m'en *P*uniriez.
....

---

1. Cf. Grammont, *Traité pratique de prononciation française*, p. 139 et suivantes.

Ninon, | vous êtes fine, | et votre inSouciance
. . . .
Vous me *R*épondriez | peut-ê|tre : Je le sais.
. . . .
Un petit air | de doute | et de *M*élancolie,
. . . .
Peut-ê|tre diriez-vous | que vous n'y *C*royez pas.
. . . .
Vous me *D*éfendriez | peut-ê|tre de vous voir.

Hassan était donc nu, — mais nu comme la main,
. . . .
Nu | comme le discours | d'un a*C*adémicien.
Ma lectri|ce rougit, | et je la *SC*andalise
. . . .
Comment | le dirait-on | si l'on n'en *S*avait rien ?

Quand au contraire le ton est grave ou oratoire, le rythme
consonantique appelle un véritable accent d'insistance et
l'hémistiche donne une impression d'ampleur et de gravité.
Tel ce passage de la peinture de Don Juan, partie grave
de *Namouna* :

Tu n'as jamais médit de ce monde stupide
Qui te *D*évisageait | d'un regard | hébété ;
Tu l'as vu, | tel qu'il est, | dans sa *D*ifformité
. . . .
Et tu suçais toujours, plus jeune et plus avide,
Les mame|lles d'airain | de la *R*éalité.

Tels ces vers de *Rolla*, pièce très oratoire :

Et, le sein tout meurtri d'avoir tant allaité,
Elle fait | son repos | de sa *ST*érilité.
. . . . . . Rien ne peut lui donner
Ni *C*onsolation | ni lueur | d'espérance.
. . . .
Le noble n'est plus fier du sang de ses ancêtres ;
Mais il le *PR*ostitue | au fond | d'un mauvais lieu.

Tels encore ceux-ci de *Britannicus* :

Ou plutôt | n'est-ce point | que sa *M*alignité
Punit sur eux l'appui que je leur ai prêté ?
. . . .

Mais je le *P*oursuivrai | d'autant plus | qu'il m'évite.
. . . .
Certes, plus je médite et moins je me figure
Que vous m'osiez | compter | pour votre *CR*éature.
. . . .
Mais le doit-il, | madame ? | Et sa *R*econnaissance
Ne peut-elle | éclater | que dans sa *D*épendance ?
. . . .
On veut | sur vos soupçons | que je vous *S*atisfasse.
C'est vous | qui m'ordonnez | de me *J*ustifier.

Résumé

Bien que court et succinct ce chapitre permet d'entrevoir combien le rythme de l'alexandrin classique est souple et varié et de combien de ressources il dispose. On y remarque en même temps avec quelle liberté il s'écarte du rythme de la prose ou au contraire s'y conforme, selon ses besoins.

XIV

Effets obtenus par les sons

Onomatopées et mots expressifs

Il y a dans notre langue, comme dans toutes les autres, un certain nombre d'onomatopées, c'est-à-dire de mots qui, désignant un bruit ou l'objet qui le produit, sont constitués uniquement par la reproduction plus ou moins exacte de ce bruit. Tel est le mot *ronron*, désignant un ronflement spécial des chats ; tel aussi le mot *glouglou*, appliqué au bruit que fait un liquide en s'écoulant par saccades du goulot d'une bouteille. Ce dernier mot désigne encore le cri du dindon, qui diffère notablement du bruit produit par un liquide ; les imitations de ce genre ne sont donc qu'approximatives. Elles sont souvent beaucoup moins précises ; dans *siffler*, l's est elle-même une espèce de sifflement, la voyelle *i* a un son particulièrement aigu pouvant évoquer dans une certaine mesure celui d'un coup de sifflet, enfin l'*f* est encore une sorte de souffle ; les trois premières lettres de ce mot constituent un ensemble parfaitement approprié à l'idée, mais le reste du mot est un élément inerte et inexpressif. Dans *bourdon* désignant un insecte, l'*r* avec son vibrement suggère l'idée du bruit que fait entendre cet animal, et les voyelles, très graves, en donnent la note générale ; quand ce mot est appliqué à une grosse cloche, l'*r* ne joue plus aucun rôle ; seule la tonalité très grave des voyelles rappelle la note fondamentale de la cloche, et, comme les deux voyelles ont presque le même timbre, elles peuvent suggérer qu'il s'agit de bruits qui se répètent ou se suivent sans être absolument identiques. De tels mots ne sont plus des onomatopées, mais de simples mots expressifs.

Leur emploi dans les vers

Ces moyens que la langue a utilisés dans la formation de son vocabulaire, le poète peut s'en servir dans la construction de ses vers. S'il veut peindre un sifflement continu, par exemple, il n'aura qu'à répéter çà et là dans son vers l'élément le plus caractéristique du mot *siffler* : il en deviendra ainsi la note essentielle répandue d'un bout à l'autre :

Pour qui *sont* ces serpents qui *sifflent* sur vos **têtes** ?
RACINE, *Andromaque.*

Mais il est relativement rare que le poète ait à décrire des bruits ou des phénomènes purement physiques ; le plus souvent il raconte des événements, exprime des sentiments ou développe des idées abstraites. Pourtant les plus grands poètes ont presque toujours cherché à établir un certain rapport entre les sons des mots dont ils se servaient et les idées qu'ils exprimaient ; ils ont essayé de les peindre, si abstraites fussent-elles. Ils l'ont pu parce que nos habitudes intellectuelles et le langage ordinaire leur fournissaient les premiers éléments de ce travail.

Ce qui les rend intelligibles

Notre esprit continuellement associe et compare ; il classe les idées, les met par groupes et range dans le même groupe des concepts purement intellectuels avec des impressions qui lui sont fournies par l'ouïe, par la vue, par le goût, par l'odorat, par le toucher. Il en résulte que les idées les plus abstraites sont presque toujours associées à des notions de couleur, de son, d'odeur, de sécheresse, de dureté, de mollesse. De là ces expressions courantes : des idées graves, légères, des idées sombres, troubles, noires, grises, lumineuses, claires, des idées larges, étroites, des idées élevées, profondes, des pensées douces, amères, insipides.

Ce sont là des comparaisons et des traductions parfaitement claires pour nous. On traduit une impression intellectuelle en une impression sensible, visuelle, auditive, tactile. On traduit un ordre de sensations en sensations d'un autre ordre ; on distingue des sons graves, des sons clairs, des sons aigus, des sons éclatants, des sons secs, des sons mous, des sons doux, des sons aigres, des sons durs, etc. Une idée grave peut donc être traduite par des sons graves, une idée douce par des sons doux, c'est-à-dire que pour produire l'impression qu'il cherche le poète peut accumuler dans ses vers des mots contenant des sons graves, ou des mots contenant des sons doux, ou d'autres encore. C'est par là qu'il *suscite* dans l'esprit du lecteur les idées et les images qu'il lui plaît, sans avoir besoin de les décrire dans le menu détail. La poésie est essentiellement suggestive.

Effets obtenus par des répétitions de phonèmes

Par les répétitions de phonèmes ou sons articulés on donne l'impression d'un mouvement ou d'un bruit répété. Dans les mots expressifs appartenant à cet ordre d'idées l'expression est due à la répétition d'une syllabe : *coucou,* d'une voyelle : *monotone,* ou d'une consonne : *palpite.* Dans un vers, qui est un élément plus long, on obtient des effets analogues par la répétition d'un ou de plusieurs mots, d'une ou de plusieurs syllabes, d'un ou de plusieurs sons :

> *Le flot* sur *le flot* se replie.
>
> HUGO, Napoléon II.

Ce vers ne veut pas dire qu'un flot se replie sur un autre une fois pour toutes, mais il fait sentir très nettement que les flots se succèdent et se replient les uns sur les autres continuellement et d'une manière indéfinie :

> L'horloge d'un couvent s'ébranla lentement.
> *lo lo*   *la lan*
>   *an*   *an*   *an*   *an*
>
> MUSSET, Don Paez.

> La mer qui se lamente en pleurant les sirènes.
> *lam*   *lam*
>   *an*   *an*   *an*
>
> HEREDIA, L'Oubli.

> Disloqué, de *cailloux* en *cailloux* cahoté.
>   *c*   *c*   *c*   *c*
>
> HUGO, Le Crapaud.

> A l'a*pp*el du *p*laisir lorsque ton sein *p*alpite.
>   *è*   *i*   *è*   *i*
>
> MUSSET, Rappelle-toi.

> Trouvant les tremblements de terre trop fréquents.
> *tr*   *tr*   *t r*   *tr*   *r*
>   *an*   *an*   *an*   *an*
>
> HUGO, Les Raisons du Momotombo.

> Avec des grondements que prolonge un long râle.
>   *on*   *on*   *on*
>   *r*   *r*   *r*
>
> HEREDIA, Bacchanale.

Le même procédé peut servir à exprimer le parallélisme de deux idées, de deux actions dont la seconde suit rapidement la première et en est la conséquence :

> *Le loup le* croit, *le loup le* laisse.
> LA FONTAINE, *Fables.*

> Ou des fleurs au printemps, | ou du fruit en automne.
> *ou   d   fl   t   ou d   fr   t*
> IID., *Ibid.*

> Je le v*i*s, je roug*i*s, je pâl*i*s à sa vue.
> RACINE, *Phèdre.*

Enfin on répète les mots ou les sons pour insister sur l'idée qu'on exprime.

> *Marcher* à jeun, | *marcher* vaincu, *marcher* malade.
> HUGO, *Le Petit Roi de Galice.*

En répétant ainsi ce mot *marcher* le poète insiste si bien sur cette action de *marcher* toujours, qu'elle devient à nos yeux comme une sorte de loi, une fatalité implacable pesant sur l'homme de guerre qui ne s'appartient plus ; en même temps la régularité du mouvement rythmique et du retour de ce mot *marcher* suscite chez nous une impression de continuité, de régularité, de monotonie.

> Envoyant un songe lui dire
> Qu'un *t*el *t*résor é*toit* en *t*el lieu. L'homme au vœu.
> LA FONTAINE, *Fables.*

Ici le poète insiste sur tous les mots pour bien préciser les paroles ; il en est de même dans le second des deux vers suivants :

> Je l'aime, non point tel que l'ont vu les enfers,
> Mais *f*idèle, mais *f*ier, et même un peu *f*arouche.
> RACINE, *Phèdre.*

Classification des voyelles

Au moment d'étudier les voyelles en tant qu'elles ont une valeur propre et une signification particulière, il est bon de se rappeler que les phonèmes, ainsi qu'on la vu dans ce qui précède, ne sont expressifs qu'en puissance et n'expriment réellement quelque chose que si l'idée qu'ils recouvrent est susceptible de mettre en lumière leur pouvoir expressif.

Les voyelles sont des notes variées qui par leur timbre et leur qualité impressionnent diversement notre oreille : les unes sont des notes aiguës, les autres des notes graves, les unes sont des notes claires, les autres des notes sombres, les unes sont voilées, les autres éclatantes. Ces distinctions qui, sous l'influence de la musique, ont pénétré dans le langage courant, sont assez exactes, mais elles ne fournissent qu'une classification vague et flottante. On peut la préciser en se fondant sur le point d'articulation et le mode d'articulation des voyelles, d'où résultent justement leur timbre et leur qualité.

Les voyelles *claires* sont celles dont le point d'articulation est situé vers la partie antérieure du palais, à savoir *i, u, é, è, eu* fermé et la voyelle nasale *in* ; parmi elles on peut mettre à part sous le nom d'*aiguës* les deux qui sont les plus fermées et se prononcent le plus en avant, *i* et *u*. Les voyelles *graves* sont toutes les autres, qu'elles se prononcent vers la partie postérieure du palais ou au niveau du voile du palais : *eu* ouvert (comme dans le mot *neuf* ; c'est aussi l'*e* dit muet comme dans *frelon*), la voyelle nasale *un* (dont le substratum oral est précisément *eu* ouvert), *a*, la voyelle nasale *an*, *ò* ouvert, *ó* fermé, la voyelle nasale *on, ou* ; on peut distribuer ces voyelles graves en deux groupes, en appelant *sombres* les trois qui sont le plus fermées, *ou, o* fermé, *on*, et *éclatantes* les quatre autres, *a, o* ouvert, *eu* ouvert, *un*.

On doit noter enfin que les voyelles nasales, quelle que soit la catégorie à laquelle elles appartiennent, sont toutes comme *voilées* par la nasalité.

Les voyelles aiguës

Les voyelles aiguës donnent l'impression de l'acuité, qu'il s'agisse d'un bruit, d'un cri ou d'un sentiment qui pourrait arracher des cris aigus :

Le f*I*fre aux cr*I*s aig*U*s, le hautbois au son clair.
LAMARTINE, Jocelyn.

Avec un cr*I* s*I*n*I*stre, il tournoie, emporté.
HEREDIA, La Mort de l'Aigle.

Tout m'affl*I*ge et me nu*I*t, et consp*I*re à me nu*I*re.
RACINE, Phèdre.

Dans ce dernier vers on entend la plainte aiguë, prolongée et perçante de Phèdre ; dans le passage suivant, c'est la colère et le désespoir qui retentissent en cris aigus :

...Tais-toi, perf*I*de !
Et n'imp*U*te qu'à toi ton lâche parric*I*de...
Barbare, qu'as-tu fait ? Avec quelle fur*I*e
As-t*U* tranché le cours d'une si belle v*I*e ?
Avez-vous p*U*, cruels, l'immoler aujourd'hui.
Sans que tout votre sang se soulevât pour lu*I* ?
Mais parle : de son sort qu*I* t'a rend*U* l'arb*I*tre ?
Pourquoi l'assassiner ? Qu'a-t-il fait ? A quel t*I*tre ?
Qu*I* te l'a d*I*t ?...
RACINE, Andromaque.

Ailleurs c'est comme un cri de joie, d'admiration, d'enthousiasme :

Subl*I*me, il appar*U*t aux trib*U*s éblou*I*es.
HUGO, Lui.

ou bien c'est une ironie amère, sarcastique, aigre et grinçante :

...Je vous entends, madame,
Vous voulez que ma fu*I*te ass*U*re vos dés*I*rs,
Que je laisse un champ l*I*bre à vos nouveaux soup*I*rs.
RACINE, Britannicus.

Les voyelles claires

Si l'on prend les voyelles claires dans leur ensemble, en s'attachant autant aux *é* qu'aux *i*, on constate qu'elles sont plus ténues, plus douces, plus légères que les graves. Elles sont donc aptes à exprimer un bruit ténu, clair, un murmure doux et léger :

> ...Les *ni*ds
> Murmuraient l'*hy*mne obscur de c*eux* qui sont bénis.
> <div align="right">HUGO, <i>Petit-Paul.</i></div>

> Et l'ombre où r*i*t le t*i*mbre argent*in* d*es* fonta*i*nes.
> <div align="right">HEREDIA, <i>La chasse.</i></div>

Parmi les objets qui ne rendent pas de son, ceux dont l'idée peut être suggérée par l'emploi des voyelles claires sont ceux qui, s'ils rendaient un son, feraient entendre, semble-t-il, un petit bruit clair, ténu, doux et léger, c'est-à-dire d'une manière générale les objets ténus, petits, légers, mignons :

> Je *suis* l'enfant de l'*air*, un s*y*lphe, mo*in*s qu'un r*ê*ve,
> Fils d*u* pr*i*ntemps qu*i* na*î*t, d*u* mat*i*n qu*i* se l*è*ve,
> L'hôte d*u* cl*ai*r foyer d*u*rant l*es* n*ui*ts d'h*i*ver,
> L'*espri*t que la lum*i*ère à la ros*ée* enl*è*ve,
> Diaphane habitant de l'*in*vis*i*ble *é*ther.
> <div align="right">HUGO, <i>Le Sylphe.</i></div>

Il n'est pas hors de propos de noter que dans ce passage toutes les rimes assonent en *è*. Dans les exemples suivants il s'agit d'un mouvement léger, rapide, d'un élan réel ou imaginaire ; la rapidité est en effet de même nature que la légèreté :

> . . . . Oh ! s*i* j'av*ais* des *ai*les
> V*e*rs ce beau c*ie*l s*i* p*u*r je voudr*ais* l*es* ouvr*i*r.
> <div align="right">MUSSET, <i>Rolla.</i></div>

> Je l*es* tir*ai* b*ie*n v*i*te *et* je l*es* l*ui* donn*ai*.
> <div align="right">ID., <i>Une bonne Fortune.</i></div>

129

Enfin grâce à leur légèreté et à leur douceur, les voyelles claires sont particulièrement désignées pour exprimer des idées légères, gaies, riantes, douces, gracieuses, idylliques :

> Des lapins qui sur la bruyère
> L'œil éveillé, l'oreille au guet,
> S'égayoient, et de thym parfumoient leur banquet.
>
> LA FONTAINE, Fables.

> Les passereaux joyeux chantaient sous ma fenêtre,
> Les fleurs s'ouvraient, laissant leurs parfums fuir aux cieux,
> Moi, j'avais l'âme en joie, et je cherchais des yeux
> Tout ce qui m'envoyait une haleine si pure,
> Et tout ce qui chantait dans l'immense nature.
>
> HUGO, Les Burgraves.

Les voyelles éclatantes

L'emploi des voyelles éclatantes, *a*, *o* ouvert, *eu* ouvert (et *e*), *an* (en), *un* (eun), s'impose pour l'expression des bruits éclatants ; ce sont elles qui donnent son expression au mot *éclatant* lui-même, et en outre à *fracas*, *craquer*, *sonore*, *cataracte*, etc. :

> Tout à coup, écrasant l'ennemi qui s'effare,
> LA victOIre aux cENt vOIx sOnnErA sA fANfAre
>
> HUGO, A l'Arc de Triomphe.

Quand, parmi les voyelles éclatantes, quelques-unes sont nasales, le bruit éclatant est un peu voilé par la nasalité :

> Le lion qui jadis au bOrd des flOts rOdANt
> Rugissait AUssi hAUt quE l'OcéAN grONdANt.
>
> HUGO, Les Lions,

En dehors des bruits physiques, les voyelles éclatantes conviennent au développement des idées et des sentiments dont l'expression suppose des éclats de voix. Telle la colère :

> Voulez-vous que je dise ? Il faut qu'enfin j'éclAte,
> Que je lève le mAsque, et déchArge mA rAte.
>
> MOLIÈRE, Les Femmes savantes.

Tel l'orgueil :

V*OI*x d*E* l'*O*rg*UE*il : *UN* cri puiss*A*Nt c*O*mm*E* d'*UN* c*O*r.
Des ét*OI*les d*E* s*A*Ng sur des cuir*A*ss*E*s d'*O*r.
VERLAINE, Sagesse.

Est-il quelque ennemi qu'*A* prés*E*Nt j*E* n*E* d*O*Mpte
Paraissez, N*A*v*A*rrois[1], M*A*U*r*E*s et C*A*still*A*Ns,
Et t*OU*t c*E* qu*E* l'Esp*A*gne *A* nourri d*E* v*A*ill*A*Nts !
CORNEILLE, Le Cid.

Comme les voyelles claires servent à peindre des objets petits, mignons, délicats ou des scènes gracieuses, les voyelles graves et particulièrement les éclatantes conviennent à la description d'une scène grandiose, d'un personnage puissant ou majestueux :

Qu'est-ce que le Seigneur va donner à cet h*O*mme
Qui, plus gr*A*Nd qu*E* Cés*A*r, plus gr*A*Nd mêm*E* qu*E* R*O*me,
Abs*O*rb*E* d*A*Ns s*O*N s*O*rt l*E* s*O*rt du g*E*Nre humain ?
HUGO, Napoléon II.

Car c'est lui qui, pareil à l'antique Encel*A*de,
Du tr*O*ne universel essay*A* l'esc*A*l*A*de,
            Qui vingt *A*Ns *E*Nt*A*ss*A*,
R*E*mu*A*Nt terre et cieux *A*vec un*E* p*A*r*O*le,
W*A*gr*A*m sur M*A*reng*O*, ch*A*Mp*A*Ubert sur *A*rc*O*le,
            Péli*O*N sur *O*ss*A* !
HUGO, A la Colonne.

Les voyelles sombres

Les voyelles claires servent à peindre un bruit clair, les voyelles éclatantes un bruit éclatant, les voyelles sombres peignent bien un bruit sourd, comme dans le mot *sourd* lui-même, comme dans *ronron, bourdon, grondement, ronfler, rauque,* etc. :

Elle éc*OU*te. *UN* bruit s*OU*rd fr*A*pp*E* les s*OU*rds éch*O*s.
HUGO, Orientales.

---

1. Au XVIIe siècle *oi* se prononçait *wè.*

> Avec des gr*O*N*d*Em*E*Nts qu*E* pr*O*l*O*Nge *UN* l*O*Ng r*A*le.
>
>   HÉRÉDIA, *Bacchanale*.

> Et f*O*Nt t*O*Usser l*A* f*O*Udre *EN* l*E*Urs r*A*Uqu*E*s p*O*Um*O*Ns.
>
>   HUGO, *L'Année terrible*.

On a vu dans le paragraphe précédent quelques sombres entremêlées aux éclatantes sans modifier sensiblement la note ; c'est que les unes et les autres sont des graves. De même ici l'on trouve des éclatantes mêlées aux sombres, sans que la note cesse d'être sombre ; il suffit pour cela que les sombres soient en plus grand nombre ou en meilleure place ; de plus, si les éclatantes sont voilées par la nasalité, le voisinage de sombres leur fait prendre nettement la valeur de sombres.

Il faut ajouter à cela qu'il n'y a pas d'idée simple ; toute idée est complexe et comporte des nuances qui ne peuvent être rendues que par l'emploi simultané ou successif de moyens d'expression différents. Certains sentiments changent de note suivant les phases de leur développement. On a vu plus haut la colère se manifestant par des cris aigus, puis par des éclats de voix ; on la retrouve ici, mais plus sourde, plus grondante ; ce n'est plus l'ironie amère, ni la fureur toute en dehors, c'est le courroux menaçant :

> Puissiez-v*O*Us ne trouver ded*A*Ns votre uni*O*N
> Qu'horreur, que jalousie et que c*O*Nfusi*O*N !
> Et, p*O*Ur v*O*Us s*O*Uhaiter t*O*Us les malheurs ens*E*Mble,
> Puisse naître de v*O*Us un fils qui me ress*E*Mble !
>
>   CORNEILLE, *Rodogune*.

La lourdeur s'exprime par des voyelles sombres, comme la légèreté par des voyelles claires :

> La l*O*Urde artillerie et les f*O*Urg*O*Ns pes*A*Nts
> Ne creusent plus la r*O*Ute en prof*O*Ndes ornières.
>
>   GAUTIER, *Fantaisies*.

Les idées graves ou tristes demandent des voyelles graves, c'est-à-dire éclatantes et sombres mêlées, de même que les idées gaies ou gracieuses s'accommodent de voyelles claires :

QuE lE bON soit tOUjOUrs cAmArAdE du bEAU.

LA FONTAINE, Fables.

Mais il y pENd tOUjOUrs quelquE gOUttE dE sANg.

MUSSET, Nuit de Mai.

Quelle est l'OMbrE qui rENd plus sOMbre ENcOr mON ANtre ?

HÉRÉDIA, Sphinx.

Et quANd lA tOMbe UN jOUr, cette EMbûchE prOfONde
Qui s'OUvrE tOUt A cOUp sOUs les chOsEs du mONde...

HUGO, Chants du Crépuscule.

Crois-tu dONc quE jE sOIs cOmmE lE vENt d'AUtOmne,
Qui se nourrit dE plEUrs jusquE sur UN tOmbEAU,
Et pour qui lA dOUlEUr n'est qu'une gOUttE d'EAU ?

MUSSET, Nuit de Mai.

Les voyelles nasales

On a vu les voyelles nasales, mêlées aux voyelles orales, claires, éclatantes, sombres, jouer le même rôle que les voyelles orales du même ordre qu'elles et seconder avec une note moins nette l'impression qu'elles produisent. Lorsque les nasales sont plus nombreuses que les orales, le voilement du son par la nasalité devient la qualité dominante et le timbre passe au second plan ; si bien que l'ensemble devient propre à exprimer la lenteur, la langueur, l'indolence, la mollesse, la nonchalance :

Le chemIN étANt lONg et partANt ENnuyeux.

LA FONTAINE, Fables.

Et du fond des boudoirs les belles INdolENtes,
BalANçANT mollemENt leurs tailles nONchalANtes,
Sous les vieux marronniers commencent à venir.

MUSSET, A la mi-carême.

A l'heure où d*A*Ns les ch*AM*ps l'*O*Mbre des m*O*Nts s'all*O*Nge.
HUGO, Aristophane.

Ils prennent *EN* s*O*Ng*EA*Nt les nobles attitudes
Des gr*A*Nds sph*I*Nx all*O*Ngés au f*O*Nd des solitudes,
Qui s*EM*blent s'*EN*dormir d*A*Ns *UN* rêve s*A*Ns f*I*N.
BAUDELAIRE, Les Chats.

Les consonnes momentanées

Les consonnes momentanées, *p*, *t*, *c* (dur), *b*, *d*, *g* (dur), frappant l'air d'un coup sec, sont aptes à saccader le style par leur accumulation. Elles peuvent donc contribuer, ainsi qu'on l'a entrevu au début de ce chapitre, à l'expression d'un bruit sec et répété, comme dans les mots *tinter*, *tintamarre*, *clapotis*, *cliquetis*, *tic-tac*, *cric-crac*, *claquet*, *crépiter*, etc. :

...et l'homme,
Chaque soir de marché, fit *T*in*T*er *D*ans sa main
Les *D*eniers *D*'argent *C*lair *Q*u'il ra*PP*or*T*e *D*e Rome.
HEREDIA, Hortorum deus.

Les flèches font sur moi le *Pé*T*i*llement grêle
*Q*ue *P*ar un jour *D*'hiver font les *C*rains *D*e la *C*rêle
Sur les *T*uiles *D*'un *T*oit.
GAUTIER, Qui sera roi ?

Au lieu de bruits secs on peut avoir à peindre des mouvements secs ou saccadés :

*T*an*D*is *Q*ue *C*oups *D*e *P*oing *T*ro*TT*oient.
LA FONTAINE, Fables

*Q*ue ne l'étouffais-tu, cette flamme brûlante
*Q*ue *T*on sein *P*al*P*i*T*ant ne *P*ouvait *C*on*T*enir ?
MUSSET, A la Malibran.

Au point de vue moral, les saccades de ce genre peuvent contribuer à l'expression de divers sentiments, tels que :

1º L'ironie âpre et sarcastique :

Dors-Tu ConTent, VolTaire, et Ton hiDeux sourire
VolTige-T-il enCor sur Tes os Décharnés ?
Ton sièCle éTait, DiT-on, Trop jeune Pour Te lire ;
Le nôTre Doit Te Plaire et Tes hommes sont nés.
Il est TomBé sur nous, ceT éDifice immense
Que De Tes larges mains Tu saPais nuiT et jour.
La mort Devait T'aTTenDre aveC imPatience,
PenDant QuaTre-vingts ans Que Tu lui fis Ta Cour.

Musset, Rolla.

2º Le halètement de la colère :

Tu Pleures, malheureuse ? Ah ! Tu Devois Pleurer
LorsQue D'un vain Désir à Ta PerTe Poussée,
Tu Conçus De le voir la Première Pensée.
Tu Pleures ? et l'inGrat, Tout PrêT à Te Trahir,
PréPare les DisCours DonT il veut T'éBlouir.
Pour Plaire à Ta rivale, il Prend soin De sa vie.
Ah ! TraîTre, Tu mourras...

Racine, Bajazet.

3º Ou simplement l'hésitation, l'agitation intérieure, morale :

Que l'augure appuyé sur son sceptre d'érable,
Interroge le foie et le cœur des moutons
Et TenDe Dans la nuit ses Deux mains à TâTons.

Hugo, Le Détroit de l'Euripe.

Dans le DouTe morTel Dont je suis agiTé.

Racine, Phèdre.

Les consonnes continues

Les autres consonnes que l'on appelle continues parce que leur prononciation dure un certain temps et peut se prolonger, font presque toutes onomatopée. Il est rare de trouver l'une d'elles employée à l'exclusion des autres, car en général les poètes en réunissent plusieurs pour exprimer simultanément différentes nuances concourant au même but. On peut néanmoins déterminer la valeur propre de chacune.

Celle des nasales *n* et *m* est à peu près la même que celle des voyelles nasales ; elles donnent une impression de douceur, de mollesse, de langueur :

Cette heure a pour nos sens des impressions douces
Co*MM*e des pas *M*uets qui *M*archent sur des *M*ousses.
LAMARTINE.

Reposait *M*olle*M*ent *N*ue et sur*N*aturellle.
HUGO, *Le Satyre.*

La liquide *l* exprime la liquidité et le glissement :

Le f*L*euve en s'écou*L*ant nous *L*aisse dans ses vases.
LAMARTINE.

L'*r* exprime un grincement lorsqu'elle s'appuie sur des voyelles claires, et un grondement lorsqu'elle s'appuie sur des voyelles sombres :

Mais la légè*R*e meu*R*t*R*issu*R*e
Mo*R*dant le c*R*istal chaque jou*R*.
SULLY PRUDHOMME, *Le Vase brisé.*

...d'éclai*R*s et de tonne*RR*es
Déjà g*R*ondant dans l'omb*R*e à l'heu*R*e où nous pa*R*lons.
HUGO, *Les Burgraves.*

Et le peuple en *R*umeu*R* g*R*onde autou*R* du p*R*étoi*R*e.
LECONTE DE LISLE, *La Passion.*

Dans ces exemples les *r* sombres prêtent leur qualité expressive aux *r* claires, et inversement, lorsqu'elles sont en majorité ou figurent dans les mots les plus importants.

Les spirantes, comme leur nom l'indique, sont toutes propres à exprimer un souffle. Les spirantes labio-dentales *f* et *v* expriment un souffle mou et peu bruyant :

Sur le groupe endormi de ces chercheurs d'empires
*F*lottait, crêpe *V*i*V*ant, le *V*ol mou des *V*ampires.
HEREDIA, *Les Conquérants de l'Or.*

Le moindre *V*ent qui d'a*V*enture
*F*ait rider la *F*ace de l'eau.

La Fontaine, *Fables.*

Les spirantes dentales *s* et *z* supposent un souffle accompagné d'un sifflement, ou un sifflement accompagné de souffle ; le sifflement est plus intense avec les *s* qu'avec les *z* :

Et les vent*S* ali*Z*é*S* inclinaient leur*S* antennes.

Heredia, *Le Conquérant.*

Dans les bui*SS*ons *S*échés la bi*S*e va *S*ifflant.

Sainte-Beuve.

Il y a aussi des sifflements de jalousie ou de dépit :

Je *S*uis le *S*eul objet qu'il ne *S*auroit *S*ouffrir.

Racine, *Phèdre.*

des sifflements d'ironie :

De vos de*SS*eins *S*ecret*S* on est trop éclair*C*i
Et *C*e n'est pas Calcha*S* que vous cherche*Z* i*C*i.

Racine, *Iphigénie.*

des sifflements de dédain ou de mépris :

On veut *S*ur vos Soup*Ç*ons que je vous *S*ati*S*fa*SS*e.

Racine, *Britannicus.*

des sifflements de colère :

Voyons *S*'il *S*outiendra *S*on indigne artifi*C*e.

Id., *Iphigénie.*

Le point d'articulation

Si, laissant de côté le mode d'articulation des consonnes, on considère leur point d'articulation, on remarquera par exemple que les labiales *p. b,* et avec elles les labio-dentales, *f, v,* exigeant pour leur prononciation un gonflement des lèvres, sont aptes à exprimer le mépris et le dégoût, comme dans les interjections *fi, pouah* :

> Je ne *P*rends *P*oint *P*our juge un *P*eu*P*le téméraire.
>
> RACINE, *Athalie*.

> Tout en vous partageant l'empire d'Alexandre,
> *V*ous a*V*ez *P*eur d'une om*B*re et *P*eur d'un *P*eu de cendre !
> Oh ! *V*ous êtes *P*etits !
>
> HUGO, *A la Colonne*.

D'autre part comme ces mêmes phonèmes rappellent par onomatopée les soupirs et les sanglots, ils sont susceptibles d'exprimer la tristesse et la douleur :

> et lui dit en *P*leurant :
> *D*is*P*ensez-moi, je *V*ous su*PP*lie ;
> Tous *P*laisirs *P*our moi sont *P*erdus.
> J'aimois un *F*ils *P*lus que ma *V*ie :
> Je n'ai que lui : que dis-je, hélas ! je ne l'ai *P*lus !
> On me l'a déro*B*é, *P*laignez mon in*F*ortune.
>
> LA FONTAINE, *Fables*

XV

L'harmonie

D'où provient l'harmonie

Ce qu'on appelle *harmonie* dans le vers français, c'est la musique du vers. Elle est constituée, comme toute musique, par des notes, c'est-à-dire, dans le cas particulier, par les voyelles, qui sont des sortes de notes, se distinguant entre elles par leur timbre.

L'harmonie est inexpressive et indépendante de l'idée exprimée. Elle résulte de la correspondance des voyelles groupées par deux ou par trois, les deux systèmes pouvant se rencontrer dans le même vers :

Vous mourûtes aux bords où vous fûtes laissée.

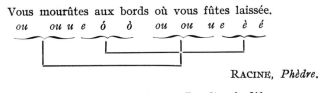

RACINE, *Phèdre.*

Un frais parfum sortait des touffes d'asphodèle.

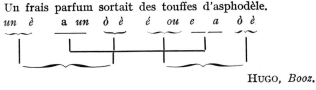

HUGO, *Booz.*

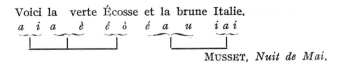

MUSSET, *Nuit de Mai.*

Groupement et correspondance des voyelles

Ces trois exemples fournissent les types principaux et montrent comment les voyelles se groupent et se correspondent. Les voyelles, on l'a vu (p. 127), appartiennent par leur nature à deux grandes catégories, les graves et les claires, qui peuvent à leur tour se subdiviser chacune en deux. Celles d'une catégorie s'opposent nettement à celles de l'autre. Les groupes les plus agréables à l'oreille sont ceux dans lesquels les deux catégories sont représentées, parce qu'ils tirent de là une modulation. Le groupe *sortait (o è)* est plus agréable que *parfum (a un)*, le groupe *vous mourû- (ou ou u)* est plus agréable que *-tes aux bords (e ó ò).* Ils se correspondent par reproduction exacte : *vous mourû- (ou ou u) où vous fû- (ou ou u)* ou approximative : *et la brune (é a u) Italie (i a i)*, ou bien ils s'opposent complètement ou partiellement : *-tes aux bords (é ó ò) -tes laissée (e é è).* Ils se correspondent dans le même ordre : *voici (a i) la verte (a è)* ou bien en ordre inverse : *la verte (a è) Écosse (é ò).*

Degré d'harmonie

L'harmonie est d'autant plus grande qu'elle est plus facile à saisir. Les vers qui offrent le maximum d'harmonie réunissent les quatre conditions suivantes : 1º tous les groupes présentent une modulation ; 2º ils se recouvrent, comme dans nos trois exemples, avec les grandes divisions rythmiques du vers ; 3º ils se reproduisent au lieu de s'opposer ; 4º ils se correspondent symétriquement. L'harmonie est d'autant plus faible qu'un plus grand nombre de ces conditions ne sont pas remplies. Un groupe ne peut pas être à cheval sur la coupe fixe :

Voici la verte Écosse et la brune Italie.

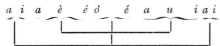

L'oreille se refuse à saisir des correspondances de ce genre. Si aucun groupement n'est possible, ou si des groupes restent sans correspondance, le vers n'a pas d'harmonie.

Confusion à éviter

Il ne faut pas confondre les vers harmonieux et les vers coulants ou faciles. Dans les premiers il y a une sorte de musique spéciale, dans les seconds les mots et les sons s'agencent sans heurts ni saccades. Généralement ces deux qualités coïncident, mais ce n'est pas obligatoire. Le vers suivant est haché, heurté, saccadé, mais son harmonie est satisfaisante :

O toi ! Je viens. Je pleure. Ici, dans les misères.

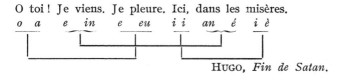

HUGO, *Fin de Satan.*

Ces deux-ci sont coulants et faciles :

Je quitte mon église et mes murs jusqu'au soir,
Et je vais par les champs m'égarer ou m'asseoir.

LAMARTINE, *Jocelyn.*

mais ils n'ont pas d'harmonie. Ils ne *chantent* pas.

Les vers de moins de douze syllabes

Parmi les vers de moins de douze syllabes, ceux de dix et même ceux de huit peuvent constituer des unités et avoir une harmonie propre. Mais le plus souvent ceux de huit et ceux qui sont plus courts, en particulier ceux dont le nombre de syllabes est impair, ne sont que des membres d'une série ou d'une strophe. Quelquefois ils se correspondent de l'un à l'autre et forment des unités par groupes ; mais d'ordinaire on se contente, dans les strophes en petits vers, de varier le rythme et les rimes.

Conclusion

Résumé de l'évolution

Le vers français était au début purement syllabique. Il avait un nombre déterminé de syllabes, il était suivi d'une pause qui le limitait clairement, et, en outre, quand il dépassait huit syllabes, il avait à l'intérieur, à place fixe, une autre pause qui servait à l'oreille de point de repère pour le compte des syllabes ; la dernière voyelle précédant une pause était obligatoirement accentuée, et celle qui venait avant la pause finale assonait avec la voyelle correspondante d'un ou de plusieurs autres vers. Les pauses, étant très nettes, concordaient nécessairement avec des repos syntaxiques. Les syllabes obligatoirement accentuées l'étaient assez fortement et relevées encore par la pause qui les suivait, si bien que toute autre syllabe accentuée était sensiblement plus faible. Au surplus on remplissait l'intervalle compris entre deux pauses sans prêter la moindre attention aux syllabes accentuées autres que la finale, qui pouvaient y surgir. De pareils vers étaient très monotones et dépourvus d'art.

Dès la fin du XIe siècle, les pauses, surtout celle de la césure, deviennent un peu moins fortes et vont s'affaiblissant jusqu'au XVIe. Pendant cette période il n'est pas rare qu'un premier hémistiche enjambe sur le second, ou

143

un vers sur le suivant. Des syllabes accentuées libres deviennent parfois aussi fortes que les accentuées fixes, ou même davantage, et le compte des syllabes s'impose moins sûrement à l'oreille. Aussi l'assonance, insuffisamment secondée pour marquer la fin du vers, se renforce-t-elle peu à peu. Au XIIe siècle elle est remplacée par la rime ; à la fin du XVe on ne se contente plus de la rime ordinaire, on recherche la rime riche et même ultra-riche. Par ces procédés on assure la fin du vers, mais son corps reste flasque. S'il est un peu long, l'oreille, n'ayant où se reposer, reste indécise ; c'est pourquoi le vers de douze syllabes est presque abandonné du milieu du XIVe siècle au milieu du XVIe : il ne satisfait pas l'oreille.

Ronsard et la Pléiade le reprennent, mais pour le raffermir, surtout en marquant mieux la coupe fixe ; Régnier perfectionne leur œuvre, et quand Malherbe exige que la coupe fixe soit marquée par la syntaxe et proscrit l'enjambement d'un vers sur l'autre, il ne fait qu'ériger en règle la forme qui prédomine déjà d'une manière extrêmement sensible dans les sonnets de Ronsard et les satires de Régnier. Les parties du vers une fois redevenues nettes, la rime riche n'a plus de raison d'être, aussi le XVIIe siècle n'en fait aucun cas.

Avec Ronsard, avec Malherbe même, le vers classique proprement dit n'est pas encore né ; il est préparé, mais l'évolution qui y aboutira n'est pas achevée. Petit à petit les poètes s'avisent de prendre garde aux accents libres qui surgissent dans l'intérieur des hémistiches ; ils sentent les effets qu'on en peut tirer et n'abandonnent plus leur place au hasard. L'alexandrin devient alors un vers de douze syllabes avec deux accents fixes sur la sixième et la douzième, et deux accents libres subdivisant chaque hémistiche de manière variable. Du moins le plus grand nombre des vers classiques sont construits de cette façon. La coupe fixe les partage en deux éléments, les accents les partagent en quatre. Les deux systèmes de division se superposent. Les accents libres, devenant souvent aussi forts que l'accent fixe de la sixième syllabe, s'élèvent à la hauteur d'un accent rythmique ; dès lors l'alexandrin est un vers rythmé, ayant en général quatre mesures. C'est le point capital de l'étape classique ; on l'atteint dans le second tiers du xviie siècle. L'alexandrin n'est plus à ce moment ni « énervé ni flasque » ; ses quatre divisions lui donnent toute la fermeté et toute la netteté désirables. Il est très monotone chez les versificateurs médiocres ; il est extrêmement souple et varié chez les artistes comme Racine, Corneille, La Fontaine, Molière.

Avec Chénier la coupe fixe reste obligatoire, mais l'enjambement reparaît. Chez les romantiques et leurs successeurs, l'emploi du rejet se développe et la coupe fixe elle-même peut à l'occasion disparaître, le vers n'ayant plus d'autres coupes que les coupes libres. L'introduction de ces libertés rend la rime riche de nouveau utile, parfois nécessaire.

Le vers français est-il donc redevenu au xixe siècle ce qu'il était au commencement du xvie ? En aucune façon. Loin qu'il y ait eu retour en arrière l'évolution commencée au xviie siècle a continué. L'élément rythmique, qui s'était glissé dans l'alexandrin classique, est devenu prédominant. Le poète classique sentait vaguement que son vers était rythmé, le poète romantique en a nettement conscience. C'est parce que le rythme est clairement perçu, que l'on peut enjamber et que l'on peut omettre la coupe fixe sans que le vers disparaisse.

A ce moment le vers français est susceptible de tous les moyens d'expression fondés sur le rythme, sur les changements de rythmes, sur les sons et leurs combinaisons, qui sont examinés dans la seconde partie de ce livre.

Dans quelle mesure il peut admettre des réformes

Depuis qu'il a un rythme sensible, il aurait pu renoncer au syllabisme, qu'il doit à ses origines. Quand les mesures sont nettement distinctes, elles peuvent contenir un nombre quelconque de syllabes, et l'ensemble des mesures d'un vers peut fournir un total variable de syllabes. Dire d'un vers qu'il est à la fois syllabique et rythmique, semble au premier abord contradictoire ; pourtant les deux qualités ne s'excluent en aucune façon. Si nos vers cessaient d'être syllabiques pour devenir purement rythmiques, ils n'y perdraient rien sans doute, mais on ne voit guère ce qu'ils pourraient y gagner.

Cette réforme n'est donc pas de celles qui s'imposent. Mais il en est d'autres qui deviennent de plus en plus nécessaires ; elles ont été signalées au cours de cet ouvrage à mesure que l'on a envisagé les diverses questions. Elles tiennent toutes à ce que les versificateurs n'ont pas modelé leurs observances sur l'évolution de la langue et n'ont pas toujours eu un sens juste des ressources qu'elle pouvait leur fournir. Ils sont restés sans raison archaïsants sur certains points et souvent en contradiction avec eux-mêmes.

A part cela, aucune modification importante de notre vers ne semble s'imposer, et surtout l'on ne saurait applaudir aux tentatives qui ont été faites, en général par des étrangers ou de mauvais plaisants, pour le remplacer par un type radicalement différent, sans tenir compte du génie et des exigences de la langue.

Certains ont imaginé un système de vers libres, qui a eu quelque succès depuis une cinquantaine d'années. Trouvant que les règles suivies jusqu'alors étaient trop étroites, ils se sont affranchis de toutes en même temps. Plus de compte exact des syllabes, plus de coupes fixes, plus de rimes obligatoires ; c'est la liberté absolue, si ce n'est pas l'anarchie. On y trouve côte à côte des vers à nombre pair et à nombre impair de syllabes, sans que la raison du changement soit toujours saisissable, si bien qu'on se demande souvent, lorsqu'un vers n'a qu'une syllabe de plus ou de moins que le voisin, si l'on ne doit pas les égaliser dans la lecture, en supprimant quelque *e* muet dans l'un, alors qu'on les fait tous entendre dans l'autre. Ce qui déroute le plus à cet égard, c'est qu'à côté des vers qui prêtent à hésitation, on en rencontre presque toujours qui sont nettement du type classique. A la vérité, s'ils sont purement rythmiques, ils peuvent avoir un nombre quelconque de syllabes, mais alors il est nécessaire qu'ils soient limités par une rime ou au moins par une assonance. Les vers blancs, c'est-à-dire sans rimes, n'ont jamais réussi à se faire accepter en France ; pourtant ils avaient une coupe fixe et un nombre de syllabes déterminé. Le trimètre romantique n'a pas de coupe fixe, mais il n'est employé que rarement, isolément, pour produire un effet particulier, et il a une rime. Si rien n'indique nettement la fin de vers rythmiques, il faudra qu'ils aient tous le même nombre de mesures, d'où naîtra bien vite une monotonie exaspérante. Or, parmi les pièces qui ont été faites, certaines sont rimées, d'autres assonancées, d'autres enfin n'ont pas même d'assonances ; quelquefois les trois systèmes s'entremêlent. Mais quelle différence y a-t-il par exemple entre deux vers de six syllabes sans rimes et un vers de douze à coupe fixe ? Et lorsqu'un vers sans rime enjambe sur un autre, ce qui n'est pas rare, comment peut-on s'en apercevoir ? En regardant sur le papier à quel endroit l'auteur est allé à la ligne. Ce ne sont donc des vers que pour les yeux. Ils paraissent, il est vrai, avoir la prétention d'être mieux rythmés que les autres ; mais, outre que la langue française ne se prête qu'à un rythme faiblement marqué, elle possède mainte page de prose dont le rythme est beaucoup plus ferme que celui de la plupart des pièces composées dans ce genre nouveau.

Ces essais récents n'ont d'ailleurs en aucune façon écarté ou supplanté le vers que l'on a étudié d'un bout à l'autre de ce traité. Tel quel, il reste le véritable vers français. Il est l'un des plus souples qui existent au monde actuellement, et il est de tous le plus délicat. Par des perfectionnements successifs il a perdu la monotonie et la rudesse simpliste du début, il a raffermi peu à peu ses formes qu'avait amollies le laisser-aller du XIVᵉ siècle, il est devenu sûr de lui-même et maître de tous ses moyens. Affiné par dix siècles de littérature, il n'admet rien qui soit brutal ou vulgaire. Disposant, quand il le veut, d'une incomparable puissance, pouvant se revêtir des couleurs les plus riches et les plus éclatantes, il se complaît d'ordinaire à n'opposer que de simples nuances. Se mouvant dans un rythme sans heurts, groupant symétriquement les teintes de ses voyelles, il choisit les effets les moins violents, il indique, il suggère : instrument merveilleux aux mains d'un artiste, intolérable entre celles d'un ouvrier malhabile.

Lectures complémentaires

Les indications bibliographiques qui suivent sont destinées aux personnes qui désireront avoir sur telle ou telle question des détails plus nombreux ou de plus amples développements. On les a faites autant que possible limitées et précises afin d'éviter au lecteur de perdre son temps à étudier chez un auteur un chapitre qui ne répond pas à la réalité des faits ou qui est mieux traité chez un autre. Lorsqu'il est renvoyé à plusieurs ouvrages pour un même sujet, c'est qu'ils peuvent se compléter utilement.

TH. DE BANVILLE, *Petit Traité de poésie française*, Paris, Charpentier, 1894 ; — p. 158 à 184 pour la *strophe*, — p. 185 à 252 pour les *poèmes à forme fixe*, — p. 253 à 257 pour les *vieilles rimes*.

L. BECQ DE FOUQUIÈRES, *Traité général de vertification française*, Paris, Charpentier, 1879 ; — p. 43 à 102 pour l'*alexandrin classique*, — p. 123 à 148 pour le *vers romantique*, — p. 305 à 346 pour les *poèmes en vers libres*.

M. GRAMMONT, *Le Vers français, ses moyens d'expression, son harmonie*, nouvelle édition, Paris, Delagrave, 1961 ; pour l'*art dans la versification française*

M. GRAMMONT, *Traité pratique de prononciation française*, nouvelle édition, Paris, Delagrave, 1961 ; — p. 105 à 119 pour la *prononciation de l'*e *muet*, — p. 121 à 127, 163 à 174 pour le *rythme de la prose*.

Y. LE HIR, *Esthétique et structure du vers français d'après les théoriciens du XVIe siècle à nos jours*, Paris, P.U.F., 1956.

G. LOTE, *Histoire du vers français*. En cours de publication ; ont paru, de 1949 à 1955, les trois premiers volumes consacrés au *Moyen Age*, Paris, Hatier.

PH. MARTINON, *Les Strophes*, Paris, Champion, 1911.

JEAN MAZALEYRAT, *Éléments de métrique française*, coll U₂, Paris, Armand Colin, 1974.

REVUE DES LANGUES ROMANES, t. XLIV, p. 97 à 158 (M. Grammont) pour la *valeur expressive des sons du langage*.

REVUE DES LANGUES ROMANES, t. XLVI, p. 5 à 29 (M. Grammont) pour l'*origine du vers romantique*.

A. ROCHETTE, *L'Alexandrin chez Victor Hugo*, Paris, Vitte, 1911 ; à parcourir pour la *versification de Victor Hugo*.

C. TISSEUR, *Modestes Observations sur l'art de versifier*, Lyon, Bernoux et Cumin, 1893 ; — p. 10 à 17 pour les *origines et les plus anciens vers français*, — p. 38 à 47, 59 à 74 et 116 à 146 pour les *différents types de vers*, — p. 205 à 216 pour la *rime*, — p. 241 à 250 pour l'*enjambement*, — p. 285 à 328 pour les *poèmes à forme fixe*.

Index et répertoire des définitions

Table des matières

Chez le même éditeur

JEAN MAZALEYRAT   *Éléments de métrique française*

HENRI LEMAITRE   *La poésie depuis Baudelaire*

FRANCIS VANOYE   *Expression Communication*

ACHEVÉ D'IMPRIMER
SUR LES PRESSES DE
L'IMPRIMERIE MODERNE DE L'EST
25110 BAUME-LES-DAMES
DÉPÔT LÉGAL : DÉCEMBRE 1989
N° ÉDITEUR : 9725